LUIS CAMNITZER
HOSPICIO DE UTOPÍAS FALLIDAS

LUIS
CAM
NIT
ZER

PRESENTACIÓN

JOSÉ GUIRAO CABRERA
MINISTRO DE CULTURA Y DEPORTE

Vinculado a esa arraigada tradición de la modernidad que busca una ampliación del campo de operaciones del arte, Luis Camnitzer ha ido forjando a lo largo de su trayectoria una compleja y multifacética propuesta artística y discursiva que, entre otras cosas, pone de relieve la necesidad de repensar el papel de los artistas y los museos. Asimismo, su práctica plantea una reflexión crítica en torno a la relación entre centro y periferia en el ámbito del arte, se confronta —y nos confronta— a las arbitrariedades del lenguaje y de las convenciones sociales o trata de revelar las estrategias que el poder utiliza para imponer su lógica y perpetuar su dominio.

A juicio de este creador, al que podemos considerar como uno de los grandes impulsores del conceptualismo latinoamericano, el gran potencial del arte sería que, a la manera del Aleph borgiano, propicia una expansión del conocimiento y nos permite imaginar soluciones que contribuyen a romper las limitaciones existentes, a ensanchar la esfera de lo decible y de lo pensable. "La obra de arte, si quiere ser tal, debe enseñarnos siempre algo", asegura en "El museo es una escuela", el ensayo con el que se abre el presente catálogo, donde también subraya que el valor de dicha obra dependerá de las proyecciones que sea capaz de desencadenar. Partiendo de esta premisa, Camnitzer nos propone concebir al artista no como un mero autor o productor, sino como un "agente cultural" que ha de poner su trabajo al servicio del bien común, al tiempo que aboga por involucrar a los espectadores en el proceso de creación, sacándolos del campo del consumo pasivo para situarlos en el del conocimiento.

Desde el comienzo de su carrera a mediados de la década de 1960, cuando funda junto a José Guillermo Castillo y Liliana Porter el mítico colectivo The New York Graphic Workshop, Luis Camnitzer siempre le ha dado una gran centralidad al valor educativo del arte (el valor más importante que le concedía Walter Benjamin). De algún modo, la asunción y reivindicación de esa centralidad ha propiciado que su práctica artística se haya hecho indisociable de su producción teórica y de su labor curatorial y pedagógica. Todas estas facetas de su trabajo están atravesadas por la idea de que lo que realmente hace interesante a una obra artística no son sus cualidades técnicas o sus valores puramente estéticos, sino su capacidad de interpelarnos y afectarnos, de empujarnos a buscar lo poético por nuestros propios medios. Es en esa capacidad donde radicaría, según Camnitzer, la potencialidad crítica y transformadora del arte.

Hospicio de utopías fallidas, la exposición retrospectiva que le dedica el Museo Reina Sofía, representa una gran oportunidad para conocer y profundizar en el poliédrico y siempre incisivo y lúcido trabajo de Luis Camnitzer. Una figura sin duda fundamental dentro de la escena artística contemporánea de América Latina, no solo por el papel crucial que desempeñó en la emergencia y expansión del llamado conceptualismo latinoamericano, sino también por la notable influencia que ha tenido su revisión crítica del relato histórico oficial sobre el arte conceptual o, más recientemente, su propuesta teórica en torno a la necesidad de integrar el pensamiento artístico en el sistema educativo y de redefinir la función social de los museos y de las escuelas de bellas artes.

LUIS CAMNITZER
HOSPICIO DE UTOPÍAS FALLIDAS

MANUEL BORJA-VILLEL
DIRECTOR DEL MUSEO NACIONAL
CENTRO DE ARTE REINA SOFÍA

A lo largo de sus más de cinco décadas de trayectoria, Luis Camnitzer ha desarrollado un tan riguroso como polifacético trabajo de investigación artística en torno a las potencialidades y servidumbres del arte, al uso que históricamente se ha hecho de la creación estética como un instrumento de legitimación y normalización de los discursos hegemónicos, pero también a la posibilidad de revertir esa instrumentalización y utilizarla como herramienta para la transformación social y política.

En sus obras, escritos y proyectos didácticos y curatoriales, Camnitzer parte de la premisa de que el arte debe concebirse no como un medio de expresión, sino como una actitud o forma de pensar, "la más libre que hay", que nos permite desafiar las etiquetas y categorías preestablecidas, confrontarnos críticamente a la percepción de la complejidad e imaginar alternativas, respuestas no consensuadas, con las que contribuir, en última instancia, al bien común, a la construcción de comunidad.

En su ensayo "El museo es una escuela", Luis Camnitzer señala que una obra de arte cumple su función no cuando nos muestra algo conocido, sino cuando es capaz de enfrentarnos "a lo que no conocemos, incluso a aquello que, por el momento, ni siquiera es conocible". Es decir, frente a la concepción hegemónica del arte como producción de objetos y situaciones que terminan en el mercado, lo que Camnitzer nos propone es verlo como un "acto cultural transformador", como un proceso de aprendizaje abierto y experiencial que nos posibilita adentrarnos en el campo de lo desconocido, de lo que aún está por decir y por hacer.

La frase-instalación "El museo es una escuela: el artista aprende a comunicarse; el público aprende a establecer conexiones", ideada en respuesta a las desavenencias con el director de un museo que rechazó sus propuestas didácticas para una exposición de arte abstracto, sintetiza, casi al modo de un haiku, su teoría en torno a la potencialidad pedagógica del arte, la función social de las instituciones museísticas y la relación que estas deben mantener con el público. Una teoría formulada en ensayos como *Didáctica de la liberación. Arte conceptualista latinoamericano* que, de algún modo, ha podido poner en práctica tanto a través de sus trabajos artísticos como de su labor de comisariado pedagógico para eventos como la Bienal de Mercosul o la exposición *Bajo un mismo sol. Arte de América Latina hoy* que se celebró en el Guggenheim de Nueva York en 2014.

Luis Camnitzer considera que para que el arte pueda llegar a cumplir una función transformadora, resulta imprescindible la involucración activa del público en el proceso creativo. Un público al que no hay que ver como una masa homogénea, sino como un ente poliédrico y complejo donde coexisten "diversos niveles de educación, distintas cosmovisiones, diferentes formaciones e intereses culturales y condiciones socioeconómicas". Los artistas y museos han de tener en cuenta esa diversidad, trabajar dialógicamente con ella, asumiendo el esfuerzo de desplazamiento que dicho trabajo exige como un aspecto central de sus prácticas. En otras palabras, han de plantearse a quienes quieren dirigir sus mensajes y buscar la mejor manera de hacerlo. Por ello, Camnitzer piensa que es crucial que el debate en torno a la accesibilidad, a cómo afrontar y desbordar los "entendidos tácitos" que determinan la relación que mantenemos con los productos artísticos, se ponga en primer plano.

Generar proyectos estético-pedagógicos que ayuden a visibilizar y combatir la lógica elitista y colonial que sigue prevaleciendo en el mundo del arte es uno de los principales objetivos que este creador ha perseguido a lo largo de su carrera. Cabe recordar a este respecto que ya en las piezas conceptuales que realiza en la década de 1960, tanto en solitario como en el seno del The New York Graphic Workshop, colectivo que fundó junto a Liliana Porter y José Guillermo Castillo, Camnitzer lo que hace es proponer soluciones posibles a problemas concretos, pero de manera que siempre le quede claro al espectador el carácter inequívocamente contingente de dichas soluciones. Articulada a través de estrategias discursivas muy diversas, esta manera de proceder ha sido constante en su trabajo, propiciando que las obras de este artista se desborden a sí mismas, pues contienen dentro de sí la posibilidad de otras soluciones, es decir, de otras obras.

Un aspecto que ha jugado un papel esencial en la configuración de su propuesta creativa y teórica es la autoconciencia de ser un artista latinoamericano exiliado en la capital del arte contemporáneo. En sus trabajos se hacen patentes las implicaciones de ser un artista que se encuentra físicamente en el centro pero que observa dicho centro, y es observado por él, de manera periférica. Desde la asunción crítica de esta posición, Camnitzer ha logrado construir una práctica radicalmente situada que da cuenta de cómo se despliega y normaliza la relación jerárquica entre centro y periferia, evidenciando la necesidad de generar acciones artísticas, pedagógicas e institucionales que desenmascaren dicha relación.

Un ejemplo paradigmático de esa relación sería, de hecho, el rol secundario al que este artista ha sido relegado en los estudios clásicos sobre el arte conceptual. Un ámbito en el que, tanto por su condición de artista latinoamericano como por su voluntad de desbordar la lógica formalista-moderna de la escena conceptual neoyorquina de la década de los cincuenta y sesenta del siglo pasado, ocupa un lugar anómalo, pero de indudable importancia. En este sentido, Camnitzer ha propugnado una "ampliación geográfica y referencial" de la noción de arte conceptual, expresión que propone sustituir por la más genérica de conceptualismo. Lo hace partiendo de la premisa de que más que un movimiento circunscrito a un espacio y un momento histórico concreto, tal y como lo ha concebido el relato historiográfico dominante, el conceptualismo constituye una suerte de tendencia global del arte. Y que, por tanto, las escenas artísticas conceptuales que emergen fuera de Estados Unidos no deben verse como meras réplicas de un modelo preexistente, sino como realidades históricas específicas.

A la hora de abordar un proyecto expositivo sobre una figura como la de Luis Camnitzer es imprescindible tener en cuenta que su obra artística no se puede entender al margen de su trabajo de producción crítica y de su labor didáctica y curatorial. En la trayectoria de este creador estas tres líneas de trabajo han estado siempre estrechamente interrelacionadas, dando lugar a una práctica heterogénea y atravesada por una inquebrantable pulsión utópica que tiene un marcado carácter político. Resulta conveniente aclarar aquí que para Camnitzer la potencialidad política de una obra artística no radica en su contenido sino en el tipo de relación que establece con el espectador, esto es, en su capacidad de empoderar al público, de incentivar su creatividad. No se trataría, por tanto, de hacer arte político o politizado, sino de hacer arte políticamente.

En su conferencia *La enseñanza del arte como fraude*, Luis Camnitzer recurre a una cita de Andrea Fraser para explicar lo que para él significa hacer arte políticamente: es el "arte que de manera consciente se propone intervenir en las relaciones de poder (en lugar de solamente reflexionar sobre ellas)", incluyendo las "relaciones de poder dentro de las cuales el arte existe". Para crear las condiciones contextuales que faciliten e impulsen esa manera de entender y confrontarse a la creación artística, Camnitzer considera que es fundamental que las facultades de Bellas Artes y las instituciones museísticas se desprendan de la lógica disciplinaria-productivista en la que se encuentran atrapadas y asuman que su tarea no es enseñar a manufacturar productos ni a valorar las cualidades técnicas de estos, sino generar dinámicas que, parafraseando esa suerte de haiku programático que dio lugar a una de sus instalaciones más conocidas, ayuden a los artistas a aprender a comunicar y al público a establecer conexiones.

Dicha instalación es una de las obras de Camnitzer que se incluyen en la muestra retrospectiva que le dedica el Museo Reina Sofía. A través de un relato expositivo que pone de manifiesto la necesidad de ver su práctica artística, su producción teórica y su trabajo curatorial y educativo como un todo inseparable, en ella se da cuenta de las principales constantes que han ido marcando la trayectoria de este artista: su apuesta por romper con la fragmentación del conocimiento, su reivindicación de la socialización creativa y del valor educativo del arte, su crítica a los consensos automatizados que contribuyen a apuntalar silenciosamente los discursos del poder... La exposición nos permite así tener una visión global y contextualizada de la multifacética propuesta de Luis Camnitzer, un autor que, tanto por las aportaciones de sus obras conceptualistas como por su labor como historiador, crítico, comisario y pedagogo, resulta clave para entender las derivas experimentadas por el arte latinoamericano durante las últimas décadas.

16

LOS CONTEXTOS DEL EJERCICIO DEL CONOCIMIENTO — — OCTAVIO ZAYA

Hospicio de utopías fallidas se organiza como una suerte de retrospectiva que despliega el proceso conceptualista desarrollado por Luis Camnitzer a lo largo de casi sesenta años. Este proceso no ha sido ni simple ni homogéneo, tal vez reflejando inadvertidamente la naturaleza de su propia vida. Como artista, ensayista, crítico de arte, curador, pedagogo, conferenciante, creador de objetos, acciones o composiciones musicales, Camnitzer está comprometido con el desarrollo de una actividad que podríamos entender como transformadora. A ello se puede añadir el hecho de que el artista se ha mantenido siempre fiel a la concepción del arte como producto de la reflexión. Toda su práctica —sea artística, ensayística o pedagógica— se caracteriza por ser un proceso intelectual que aborda las ambigüedades y arbitrariedades tanto del lenguaje como de las imágenes visuales, a través de una crítica al arte como valor de mercado, a la irrelevancia del sistema educativo, y, más recientemente, a la desmitificación del papel del artista, y su obsolescencia, en la sociedad de consumo. A pesar de todo, su obra afirma la función significante del lenguaje, el poder evocador de las imágenes y la capacidad de ambos para involucrar al lector y al espectador en una relación de participación activa, que finalmente conduzca a la liberación de un sistema que asfixia nuestras facultades y posibilidades.

Partiendo de estas complejas cuestiones y posicionamientos, esta extensa muestra se organiza —sin divisiones, indicaciones, o protocolos— en tres fases o momentos destacados en la evolución de las prácticas artísticas de Camnitzer, que a lo largo de los años han transformado su trabajo en un ejercicio continuo de conocimiento. Por un lado, aunque su práctica gira en torno al deslizamiento entre el lenguaje y el significado, Camnitzer la distingue del arte conceptual. Sin duda, la desmaterialización del objeto artístico y la relación del arte con el conocimiento que singularizan al arte conceptual son el punto de partida sobre el que Camnitzer establece sus propuestas, pero el interés del artista no se detiene ni enfoca en el aspecto autorreferencial y en el estatus del arte o en su condición autónoma, sino que para él estas cuestiones se plantean como procesos de pensamiento que se expanden hacia realidades políticas y sociales. La yuxtaposición y combinación de textos, imágenes y objetos apuntan hacia el espacio cognitivo de los sentidos y de la experiencia[1]. Por otro lado, a pesar de la

---

1) Siguiendo a la historiadora Mari Carmen Ramírez, Camnitzer subraya la importancia del contexto en relación con lo que el artista entiende como la historia del "conceptualismo" en América Latina. "La 'desmaterialización' —explica Camnitzer— una de las palabras de moda que se utilizaban para

importancia y los logros que representan estas obras "de lenguaje" en su producción temprana, el artista no parecía completamente satisfecho con el aspecto "desmaterializador" y el hermetismo de sus trabajos más políticos y "contextuales", como *Masacre de Puerto Mont* (1969) o *Fosa común* (1969).

En la "segunda fase", la exposición se concentra en su obra más declarativa y evocadora, que abarca lo que podemos agrupar bajo el epígrafe de "arte político," en la que el artista recupera y da mayor prominencia a los elementos visuales. Tendremos que esperar hasta los años setenta del siglo XX, después de la creación de *Leftovers* (1970), para ver cómo Camnitzer se concentra en la serie *Signatures*, mediante la que aborda la crítica al arte como mercancía, un tema principal durante su participación en el New York Graphic Workshop[2].

Hasta entonces, la función más importante de las imágenes y objetos en la obra de Camnitzer había sido el poder de evocación que emanaba de las yuxtaposiciones entre objetos, imágenes y textos. El resultado de esta nueva aproximación establece una suerte de fórmula en la que el arte político no se define a partir de su contenido explícito sino por la polivalencia de sus resoluciones y registros lingüísticos y visuales. Ya en la década de 1980, Camnitzer produce tres series sobre el tema de la tortura, consideradas momentos culminantes de su obra política: *Tortura uruguaya* (1983-1984), *The Agent Orange* [El Agente Naranja] (1985) y *Venice Project* [Proyecto Venecia] (1983-1986). Posteriormente, trabajos como *Los San Patricios* (1992), *El Mirador* (1996), *Patentanmeldung* [Aplicación para una patente] (1996) *Documenta Projekt* [Proyecto Documenta] (2002), o *Memorial* (2009) amplían su repertorio para dar paso a una práctica tal vez más compleja y abierta a la participación del espectador.

Por último, la muestra presenta lo más destacado de su última producción y establece los términos para entender y justificar su título, *Hospicio de utopías fallidas*, a partir de la labor educativa de Camnitzer y de lo que

---

definir el conceptualismo dominante y estandarizado por Lucy Lippard y John Chandler, es relevante pero no lo abarca todo. Aunque la desmaterialización fue sin duda un factor en el conceptualismo de América Latina (con un uso precursor en Argentina) es menos útil que la 'contextualización' [...]. La conceptualización depende más de las referencias ideológicas de cómo uno confronta los problemas sociales que la desmaterialización, y, en América Latina, la elección de la desmaterialización sigue un conjunto anterior de preocupaciones ideológicas". En Luis Camnitzer, *Conceptualism in Latin American Art: Didactics of Liberation*, Austin, University of Texas Press, 2007, p. 4.

2) Véase el texto de Beverly Adams, "Hacia un arte total. Luis Camnitzer como educador/artista", en esta publicación, pp. 74-91.

para él es el estímulo de su práctica más reciente, que desarrolla como un ejercicio del socialismo de la creación frente al proyecto del fracaso político generalizado. Obras como *Insultos* (2009), *Crimen perfecto* (2010) y *Utopías fallidas* (2010-2018), y series como *Cuaderno de ejercicios* (2011) y *Von Clausewitz* (2016-2017) subrayan la comunicabilidad y la evocación de estos planteamientos. Si por un lado podemos afirmar, siguiendo al artista, que lo importante en estas obras es ayudar a extender el conocimiento y explorar órdenes alternativos; por otro, lo que consiguen estas obras es afirmar la noción de que el arte y la educación —entendida no como enseñanza sino como aprendizaje, especulación, cuestionamiento, desafío, descubrimiento y tarea colectiva de facilitación del conocimiento— son casi la misma cosa. Parafraseando al militar y teórico de la doctrina militar moderna Carl von Clausewitz, que no podamos dar a estas concepciones ningún grado mayor de distinción no tiene importancia, porque no podemos utilizarlas como definiciones filosóficas para fundamentar ninguna clase de proposiciones.

Pero ¿qué relaciona a estos intereses y complejidades con un *hospicio*? ¿Deberíamos entender que este "hospicio de utopías fallidas" es el reflejo de las prácticas del artista?, ¿se deduce de su trayectoria o proyecta una visión que abarca la complejidad de sus discursos?

Hace poco menos de cuatro años, en 2014, Luis Camnitzer me escribió sugiriéndome el posible título de la exposición: *Hospicio de utopías fallidas*[3]. Supuestamente el título guardaba relación con la realización de una placa de bronce a la manera de las que figuran en las puertas de los despachos de abogados[4]. Además de alegrarme por su sugerencia y lo que entonces entendí como fruto de su sarcasmo o ironía habituales —que otros malentienden como cinismo—, supuse que Camnitzer ya estaba familiarizado con la historia "oscura" del llamado Edificio Sabatini,

3) Hasta muy recientemente, el título consensuado era *Hospicio para utopías fallidas*. Pero de pronto empecé a utilizar *Hospicio de utopías fallidas* en nuestra correspondencia. A mí me parecía más apropiado usar "de" que "para", aunque esta distinción necesariamente ya no abarcaba una concepción del mundo sino exclusivamente una exposición. Nuestra colega Ursula Davila, de la galería Alexander Gray Associates de Nueva York, persona esencial en mi investigación para la selección de las obras, fue quién resolvió la cuestión cuando nos aclaró que, aunque ambas formas gramaticales sean correctas, la intención es la que determina la elección de "para" o de "de". En efecto, "para" indica función, y "de" implica preposición de contenido. Camnitzer estaba de acuerdo. Desde mi perspectiva, este "Hospicio" -que podría reflejar el mundo- no estaba ideado ni adecuado "para utopías fallidas". La exposición de Camnitzer, en cambio, sí nos hace reflexionar sobre estas cuestiones.

4) La placa forma parte de la serie *Utopías fallidas* (2010-2018) que el público encontrará repentina e inesperadamente en los pasillos y salas del Museo.

aunque nunca nos referimos al caso. Camnitzer se ha caracterizado siempre por tener una extraordinaria curiosidad por los hechos, esas realidades que están cargadas de significados e historias, de símbolos culturales[5]. Esto en cuanto a la cuestión del "Hospicio".

El caso de las "utopías fallidas" es algo más complejo porque involucra no solo a nuestra historia moderna sino también a la contemporánea, en la que todos estamos implicados. El carácter aparentemente ambiguo, paradójico e irresuelto de la obra de Camnitzer no parece suficiente para establecer afirmaciones definitivas o concluyentes. Con todo, por suerte, Camnitzer ha escrito y escribe incansablemente, y es gracias a sus escritos que podemos rastrear la historia de su desencanto, las razones de su desilusión y su inquebrantable esperanza. En una conferencia que impartió en el Museo de Bellas Artes de Caracas con motivo de la exposición *Intervenciones en el espacio* (1995), el artista confesó haber estado siempre intrigado por el concepto estático, de perfección, de la utopía, ya que, en definitiva, era algo "que se negaba a sí mismo".

"Estoy interesado en la utopía, pero no en una utopía aburrida. Por lo tanto, no puede ser perfecta, y si no es perfecta, no puede ser utopía. Prefiero definir utopía como un proceso a través del que uno busca la perfección, donde la perfección, como un espejismo, constantemente se distancia a la misma velocidad que uno cree que se acerca a ella. Algo similar a la revolución en la revolución..."[6].

Y un año después, en el catálogo de la 6.ª Bienal de la Habana (1997), nos regalaba una de las reflexiones más brillantes de su pensamiento liberador:

5) Los conocedores de la historia de Madrid saben que el terreno en el que se asienta el Museo Nacional Centro de Arte Reina Sofía fue el lugar elegido en el siglo XVI, bajo el reinado de Felipe II, para centralizar todos los hospitales que se encontraban dispersos en la Corte. Durante el reinado de Felipe III se instaló en esas edificaciones el Albergue de Mendigos. A este albergue se fueron añadiendo otros edificios, hasta que, en el siglo XVIII, en tiempos de Carlos III se construye el Hospital General de San Carlos, obra de los arquitectos José de Hermosilla y Francisco Sabatini. El Hospital abre sus puertas en 1781 y hasta el año 1831 tuvo en sus sótanos las dependencias del Real Colegio de Cirugía de San Carlos. A partir de esa fecha y hasta el año de su cierre (1965) pasó a depender de la Diputación Provincial de Madrid. Tras años de abandono, en 1980 se inicia la restauración del edificio y este antiguo hospital se convertirá en el Centro de Arte Reina Sofía.
6) Luis Camnitzer, "The Two Versions of Santa Ana's Leg and the Ethics of Public Art", en Rachel Weiss (ed.), *On Art, Artists, Latin America, and Other Utopias*, Austin, University of Texas Press, 2013, p. 206.

"Estamos presenciando un movimiento global hacia la desarticulación y desestabilización de las estructuras comunitarias que se propone la inoperatividad y destrucción de la noción del 'nosotros'. Es el 'nosotros' que ha servido como base para la conciencia de clase, las conquistas laborales, la militancia estudiantil, para la búsqueda de las identidades culturales, para la lucha por una sociedad mejor. Con la desaparición de ese 'yo' colectivo, se está privatizando, aislando, cosificando y vaciando al individuo. La resistencia efectiva se elimina y el chovinismo fundamentalista actúa como escudo para cubrir el anonimato.

Mantener la memoria, recordar el 'nosotros', es una de las armas que ralentiza el proceso. La desmitificación de las realidades virtuales es otra. Sin ellas, nos inundamos de recuerdos prefabricados o nos aprisionamos en las distorsiones de las nostalgias románticas. La resistencia, sin embargo, sigue siendo posible si mantenemos viva la conciencia utópica —la utopía de la supervivencia, la inanición como período transitorio, la imposibilidad de la derrota, la utilidad del arte, y no una utopía como producto perfecto, final y congelado. En cambio, es una utopía como flujo, como un proceso sin fin y dirección precisa. Es una utopía del 'nosotros' compartido, un 'yo' sin compromisos, nuestra posesión de la memoria, el mantenimiento de una ética, la desaparición del exilio. Es la utopía que el individuo asume, orgulloso e inolvidable"[7].

Parece claro, pues, que las "utopías fallidas" a las que apela este título ni se refieren a la posibilidad de la utopía ni a un sistema social igualitario, democrático y representativo. Por el contrario, la llamada democracia liberal es el eje fundamental que ha fracasado y continúa dando paso natural y progresivo —cuando menos en Europa, en América Latina y en los Estados Unidos— a los regímenes autoritarios, totalitarios y fascistas. Hablamos del fracaso del comunismo y del socialismo, dos experimentos del siglo XX que tuvieron que enfrentarse al ataque constante, explícito o clandestino de las supuestas democracias occidentales. Y ahora que el "enemigo" está vencido —aunque no ausente— la supuesta democracia que se erige como la "Utopía de los tiempos", como

---

7) Luis Camnitzer, "The Forgotten Individual", en Rachel Weiss (ed.), *On Art, Artists...*, óp. cit., pp. 118-119.

"Fin de la historia" y razón de nuestras ilusiones y deseos, ha descubierto su careta (de Reagan y Thatcher, de Clinton y Blair, OTAN, UE, Bush, Aznar, Berlusconi, Netanyahu, Obama, Rajoy, May, Merkel, Putin y Trump), para enseñarnos abiertamente no solo su fracaso sino "la futilidad del futuro", "el final de la utopía".

Como ya sabíamos todos —aunque la mayoría lo obviara o mirara hacia otro lado— la democracia nunca se realizó, en ninguna parte, ni bajo los mínimos requisitos que implicaban sus principios[8]. Ese es el gran fracaso de la llamada civilización occidental y ese es el hospicio que Camnitzer nos muestra, inequívoca, aunque subrepticia y tangencialmente —en la mayoría de los casos— en esta exposición que en realidad es tanto un ejercicio de concienciación como un sordo alegato contra lo que Góngora, sin duda, calificaría como la "infame turba de nocturnas aves [del fascismo]".

En efecto, el *contexto* en el que debemos analizar la obra de Camnitzer producida a partir de 1980 es el del sistema neoliberal, desarrollado y desenmascarado de manera progresiva y evidente desde entonces. Este es el mundo en el que vivimos, empeñado en levantar barreras y murallas que separen la corrupta y podrida fortaleza creada para salvaguardar "la cultura occidental" del asalto de los hambrientos y los desposeídos. Un sistema, diseñado para el beneficio de unos pocos, extremista, belicoso e imperialista, que ha desplazado el ideal y la promesa de una democracia —si no real al menos considerable— por una política en la que la educación autoritaria se ha transformado en un elemento central. Especialmente en esta era digital, la sobreabundancia de información, las "noticias falsas", la ausencia de honestidad, de respeto y de solidaridad han consolidado este sistema bajo la influencia del poder empresarial y del gran capital, que opera al servicio de la mentira, el nacionalismo machista, el racismo, la homofobia, la xenofobia y el asalto desenfrenado contra la conciencia crítica y los valores sociales y públicos.

Como apunta el pensador y profesor estadounidense Henri Giroux en un artículo reciente, "el papel de la educación en la producción de culturas de formación dentro y fuera de las escuelas, necesario para mantener el pensamiento crítico, la audacia cívica, y ciudadanos comprometidos críti-

---

8) Para más información véase Okwui Enwezor et al. (eds.), *Democracy Unrealized. Documenta 11_Platform 1*, Ostfildern-Ruit, Hatje Cantz, 2001.

camente, parece estar desapareciendo"⁹. Las palabras que expresan la verdad y aseguran la responsabilidad del poder están en retroceso mientras las mentiras se normalizan y las relaciones entre la verdad y la ciudadanía se tratan con desdén o se ignoran, tanto por parte de los gobiernos como por la llamada Justicia (como en los casos de Estados Unidos bajo Trump, España bajo Rajoy y Gran Bretaña bajo Theresa May, por citar algunos). En su lugar —siguiendo de nuevo a Giroux—, desde los ochenta, el neoliberalismo ha transformado la educación reglada a todos los niveles en un lugar de formación y entrenamiento para adoctrinar en la preeminencia de los valores del mercado e imponer las relaciones comerciales como modelo para gobernar toda la vida social:

"Aliada cada vez más con las fuerzas del mercado, la educación pública y superior están preparadas para enseñar principios comerciales y valores empresariales, mientras los administradores de las universidades se aprecian como CEOs o burócratas en una cultura de inspección"¹⁰.

La educación y el papel de la educación que Camnitzer propone en esta publicación y la trayectoria que ha seguido a lo largo de su amplia y versátil carrera, nos sitúan, en cambio, en otra realidad, un espacio participativo y esperanzador de creación y aprendizaje: "Mi utopía es una sociedad igualitaria, justa, sin clases, creativa y con el poder equitativamente distribuido. Para entrar en el proceso de esa utopía necesito que la educación sea creativa y ayude a crear, y que lo que llamamos arte sea educativo y genere aprendizaje. El acento en la educación entonces ya no está en transferir información sino en aprender a accederla. Y, en lo referente al arte, tampoco está en el objeto llamado 'obra de arte' sino en los procesos que su presencia genera en el espectador, y cómo transforma al individuo para independizarlo en su propia creatividad sin tener que continuar consumiendo lo que yo hago como artista. Arte y educación entonces son casi la misma cosa"¹¹.

Tal vez por ello, como advertencia, hemos querido situar la obra *De la guerra* (2016-2018) al final o al principio del trayecto de la muestra (depen-

---

9) Henry Giroux, "Education as a Weapon of Struggle: Rethinking the Parkland Uprising in the Age of Mass Violence", *Counterpunch. Tells the Facts, Name the Names*, 26 de marzo de 2018, s/p: https://www.counterpunch.org/2018/03/26/
10) Ibíd.
11) Luis Camnitzer, correspondencia con el autor, 2017.

diendo por dónde uno decida emprender su recorrido). En ella, Camnitzer se refiere a los cinco tomos que von Clausewitz escribiera a principios del siglo XIX sobre estrategia militar y que todavía hoy se utilizan como uno de los textos fundamentales en las escuelas militares. "Siempre me interesó el proceso de apropiación que sucede durante la lectura (o por lo menos en mi lectura), cuando uno extrae citas que convienen y descarta las que no, con lo cual se reescriben los libros de los demás en una forma de co-autoría no del todo honesta, pero sí transparente. Von Clausewitz era un militar honesto y poseedor de cierta compasión, y a veces utilizaba la ironía para subrayar ciertos puntos. No recuerdo bien porqué decidí leerlo; debe haber sido alguna cita que me intrigó. Pero sí sé que ahora estamos volviendo a la fragmentación nacionalista del cuño más reaccionario, de gobiernos autoritarios a los que me gusta denominar como 'payasocracia plutocrática' (la cleptocracia está implícita en esto), y todo ello dentro de un contexto de una especie de neo-feudalismo, en el que el negocio de las armas está fomentando nuevos enfrentamientos militares. Es desde esta perspectiva, con el peligro de que los enfrentamientos se produzcan dentro y fuera de las naciones, desde la que una nueva lectura de este texto emblemático despertó mi interés"[12].

De la guerra, que Camnitzer ha producido específicamente para esta exposición, nunca se expuso con anterioridad ni se armó como instalación, por lo que el artista no tenía en un principio una conciencia clara de cómo se resolvería en las salas, pero aspiraba a crear una atmósfera abrumadora en la que —incluso si no se leen todos los textos— una lectura fragmentaria refleje el espíritu general. "Las citas vienen enfrentadas a imágenes de *Google maps* de los lugares en donde los Estados Unidos poseen bases militares en América Latina, por lo tanto, enfocando hacia el continente que por motivos biográficos más me interesa. Se agregan además algunos objetos evocativos que espero que enriquezcan la instalación"[13].

Camnitzer sabe bien que en nuestras sociedades neoliberales la educación tiene la capacidad de convertirse en un instrumento no solo para inculcar convicciones autoritarias, regresivas y propagandísticas, sino también para impedir y castrar la habilidad de la población para formar ideas, convicciones y alternativas que se posicionen junto a la justicia, la

12) Luis Camnitzer, correspondencia con el autor, 2018.
13) Ibíd.

libertad y el pensamiento crítico. Para muchos también resulta evidente que hemos llegado a un punto en la historia de la modernidad donde la conciencia histórica y el pensamiento utópico se han dividido irremediablemente. Por eso, nuestro presente nos resulta oscuro, opaco, "porque no puede conectarse ni con un pasado del que deriva su diferencia ni con un futuro del que extrae su orientación"[14]. La utopía de la que habla Camnitzer es, sin embargo, liberadora porque ha abandonado la ilusión que se deduce de imaginar la utopía como totalidad determinada. Él es obviamente consciente de que todas las utopías de la modernidad se transformaron fácilmente en pesadillas distópicas. A lo que nos enfrentamos, en cualquier caso, es a volver a confiar, a volver a creer. Para Camnitzer, pienso, se trata de abrir el campo de la posibilidad y recuperar el discurso crítico en la educación y en el arte.

---

14) Nikolas Kompridis, *Critique and Disclosure. Critical Theory between Past and Future*, Cambridge (MA) y Londres, The MIT Press, 2006, p. 248.

26

EL MUSEO
ES UNA ESCUELA —
— LUIS CAMNITZER

Hace varios años trabajé durante un tiempo como curador pedagógico para un museo. A raíz de una muestra de arte abstracto que se estaba organizando, sugerí con el equipo educativo la posibilidad de mezclar las obras de la exposición con situaciones abstractas interactivas. A primera vista estas situaciones aparentarían formar parte de la muestra, aunque de inmediato se revelarían como ejercicios pedagógicos. Un ejemplo ilustrativo, creado por otros y no idea mía, consistía en paneles magnéticos sobre los cuales el público podría mover formas geométricas y experimentar con sus propias composiciones. Cuando el director vio las propuestas comentó bastante irritado: "¡Esto es un museo, no una escuela!" Me fui muy enojado. Una vez en casa me puse en la computadora e hice un montaje de la fachada del museo. Le apliqué, como si estuviera pintado a lo largo de varios pisos, un texto que decía: "El museo es una escuela: el artista aprende a comunicarse; el público aprende a hacer conexiones". Le mandé el resultado al director por correo electrónico y poco después renuncié al cargo.

El montaje fue a la vez autoterapia y venganza. Durante el proceso de ejecución, descubrí sin esperarlo que me gustaba como pieza y que sintetizaba una cantidad de puntos que me interesaban. La fui pensando más y, al final, la obra terminó como un texto con las condiciones siguientes:

Primero: el museo que se prestara a poner el texto en la fachada usaría la tipografía oficial de la institución y encargaría a su diseñador que lo compusiera para ello.
Segundo: el museo produciría una postal con el texto en la fachada para ser vendida en la tienda.
Tercero: la postal sería una postal oficial del museo y no una postal que reproduce la obra de un artista, en este caso yo.
Cuarto: mi nombre aparecería como dueño del *copyright* y no como autor de una obra de arte.

Todo esto, esa renuncia a la autoría puede sonar como un intento de suicidio de artista; sin embargo, la importancia de la obra no estaba en los problemas de la promoción personal que se suele asociar con la producción artística. El texto en la fachada y la postal constituían la publicidad de un contrato que se establece entre la institución, los artistas y el público. Significaba que el museo no está allí para promover una escala de valores prefabricados y la mercantilización del arte, sino para ofrecer un espacio de comunicación entre los artistas y el público. En lugar de refinar el consumo de los visitantes, está para ayudarles a pensar por sí mismos. Era, en síntesis, un proyecto utópico.

Descrita con crudeza, la obra que propuse es una infiltración y subversión. Redacté un contrato que de hecho permite que el público pueda hacer un juicio legal al museo en caso de percibir que no se está cumpliendo con la misión publicitada. No sé qué es lo que haría un juez en caso de tener que decidir sobre publicidad fraudulenta por parte del museo. Me temo, además, que el público nunca se organizaría para acusar a una institución sobre este asunto. No importa. El artista solamente puede intentarlo.

De manera inesperada la obra tuvo mucho éxito institucional, aunque no sé si se lograron los resultados deseados. Hasta la fecha, más de veinte museos la han ejecutado y seis la tienen en su colección permanente. Nunca sabremos en qué medida el uso público del texto supera la hipocresía y si las fachadas no pasan de ser una máscara de progresismo para ocultar que nada ha cambiado. En general y con pocas excepciones, los museos están organizados en una estructura interna rígida, difícil de cambiar, formada por castas sociales. En la cumbre está el directorio que asegura los fondos económicos; en segundo lugar, el equipo curatorial, y en tercero, el equipo educativo. Este en realidad trabaja en relaciones públicas para aumentar la circulación en el museo y justificar los aumentos de fondos. Recién al final de todo está el funcionariado de vigilancia y limpieza, esa gente que no tiene ni cara ni nombre.

La primera instalación de mi pieza tuvo lugar en el 2011 en el Museo del Barrio en Nueva York. El museo tenía un buen equipo curatorial y educacional; sin embargo, ambos no se integraban a fondo en un trabajo común. No percibo que hoy la situación de complementariedad de departamentos haya cambiado mucho en el mundo de los museos, a pesar de que en la última década se puso muy de moda el término "giro educacional" en las artes. Este giro está más conectado con las estéticas relacionales y el arte dedicado al servicio social que con la transformación institucional de los museos, en los que, de forma mayoritaria, la sociedad de castas y de intocables continúa sin perturbación. Muchos comisarios artísticos creen que hacen obra educacional por el mero hecho de ofrecer obras al público, mientras que el equipo educacional no está en realidad formado para hacer curadurías eruditas. La culpa de la división, aparte del comprensible respeto hacia los intereses

Postal de la obra de Luis Camnitzer *The Museum is a School* [El museo es
una escuela], 2011, realizada en la fachada del Museo del Barrio, Nueva York
como parte de la exposición *Luis Camnitzer*, organizada por
Daros Latinamerica, Zúrich, 2011

burocráticos y la sobrevivencia, no es en realidad de los individuos. La responsabilidad es de las instituciones que los educaron, de una estructura de conocimientos fragmentados y especializados en falso. Todos ellos fueron entrenados para funcionar dentro de sus categorías y no para salirse de ellas. La situación es emblemática en los varios niveles que corresponden a los museos, a los artistas y al público.

En 1950 Marcel Duchamp decidió autorizar la reproducción del mingitorio industrial que declaró como obra de arte en 1917. En 1993 un artista francés, Pierre Pinocelli, fue a una muestra en la que se exponía una de las reproducciones autorizadas y orinó en ella. Cuando se le hizo juicio por vandalismo, argumentó que la pieza expuesta no era la original y por lo tanto no tenía valor y, además, que la obra obviamente estaba pidiendo la orinada[1]. Si entramos a discutir el valor artístico, al margen de si la obra

1) Leland de la Durantaye, "Readymade Remade", *Cabinet* #27, otoño 2017, http://www.cabinetmagazine.org/issues/27/durantaye.php, acceso el 8 de setiembre de 2017.

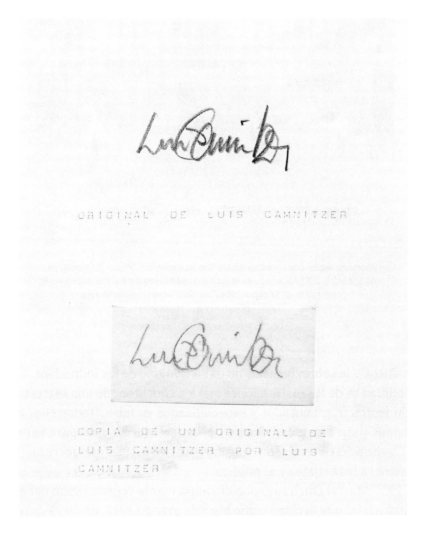

Luis Camnitzer, *Original y copia* [Original and Copy], 1971.
Cortesía Alexander Gray Associates, Nueva York

es un original o una copia, surgen las preguntas sobre si la obra de arte tiene que ser accesible o no, qué es lo que tiene que ser accesible y, también, accesible para quién.

El tema subyacente de los museos es la accesibilidad. En general, la respuesta se basa en primer lugar en el contaje de la circulación física, cuyos números ayudan o no a financiar a las instituciones, y en segundo lugar, en la popularidad de las reproducciones de determinadas obras. El acceso, por lo tanto, se mide por índices cuantitativos que corresponden al consumo y no a la transformación que se produce en el consumidor.

¿Qué es el acceso en realidad? Es la imprecisión del concepto que obliga a que el museo se deba asumir en su función de escuela. Las actividades de los museos se fundamentan en entendidos tácitos que se presumen compartidos por los visitantes. Nos entendemos, es cierto, mas solo a grandes rasgos. Hay entendidos tácitos que nos unen y nos diferencian de otras culturas, aun de las fuertes en el mercado, como las anglófonas o las asiáticas, y hay otros muchos que se eluden incluso dentro de una misma cultura. Puedo admirar una escultura tribal africana; sin embargo, lo único que termino apreciando es la forma y lo que yo le pueda atribuir. Y si el artista tribal ve el mingitorio invertido de Duchamp, quizás suceda que no sepa para qué sirve, ni si está invertido, o que ni siquiera comparta el placer de la forma del objeto. En definitiva, no entendería por qué ese objeto prefabricado es considerado un objeto fundamental en la historia del arte occidental contemporáneo, una falta de comprensión compartida con nuestro vecino de al lado.

El logro fundamental de Duchamp con sus *ready-mades* u objetos prefabricados es que demostró que el arte no tiene por qué estar limitado a la manufactura de productos. Aunque la artesanía sigue siendo uno de los medios posibles, gracias a él también es factible hacer arte "por designación" al expresar que algo que hasta esa declaración no era arte, ahora lo es. El objeto conocido hoy puede ser desconocido y reconocido en otro contexto, y así revelar algo nuevo. El escandalete, que aún, en el presente, tiene cierta vigencia en los niveles con menos acceso a nuestro mundo artístico, es probable que se base más en la parte anecdótica y narrativa. Para ellos sigue siendo funcionalmente un mingitorio, aunque aparezca fuera de contexto y continúe la ofensa que nos produce la orina ajena. El posible insulto no está en la importante redefinición del arte o ampliación del campo artístico con la que Duchamp cambió las actitudes del siglo XX.

Y esto es porque el cambio solo afecta a los entendidos tácitos de las pequeñas esferas de los apreciadores del arte contemporáneo.

Esta cuestión nos lleva a reflexionar para qué sirve el arte. En el siglo XVIII, Kant ya había definido el arte como algo que no tiene función, que no sirve para nada práctico. Es una definición que hasta cierto punto todavía rige en el mundo occidental capitalista. Si la obra sirve para algo, digamos para vestir, para sentarse o para verter café, ya no estamos en presencia de arte, sino de diseño. Cuando nos dirigimos a una obra de arte tenemos ciertas expectativas aun siendo muy difusas. Más bien sabemos, o pensamos que sabemos, cuándo algo no es arte y no cuándo en realidad lo es. La palabra misma presume la existencia de un cuerpo tangible para algo que termina siendo una experiencia vaga, intangible y, hasta cierto punto, dependiente de un consenso. En otro momento y otra sociedad, mi frase "El museo es una escuela" no sería aceptada como obra de arte.

En la medida en que somos ajenos al proceso artístico —es decir, no somos partícipes en la experiencia de su manufactura— tendemos a celebrar lo bien que está hecha la obra, lo que nos cuenta y si nos hace sentir bien, y por lo tanto nos gusta. No tenemos conciencia de que no solo nos estamos limitando a una apreciación del envoltorio en el que nos presentan el regalo, sino que también estamos ignorando que es allí donde nuestro proceso creativo comienza. Quedamos entonces sin entender qué cosa nos están regalando, e ignoramos que lo que estamos admirando es nada más que el nivel de artesanía, confirmando nuestro gusto, y olvidándonos de las tareas que nos pide la obra. Tenemos en consecuencia una lista ajena a nosotros compuesta por artesanos admirables y decoradores impecables, pero ni unos ni otros se ganan un puesto en un museo de arte solo con esos logros. Les falta algo. En otras palabras, en esta visión interrumpida no estamos aprendiendo nada nuevo, sino confirmando lo que ya sabemos. Esto no niega la admiración de las cosas bien hechas, o la aplicación del buen gusto, pero la falta de contribución al conocimiento las pone en el lugar secundario de instrumentalización que les corresponde.

En términos generales, entonces, el acento estaría en el hecho de que con esto no estamos aprendiendo nada, y que la obra de arte, si quiere ser tal, debería enseñarnos algo. Esa es otra diferencia entre arte y diseño. En ambos campos buscamos una cierta coherencia de significados. Un cuadro de Rembrandt es una tela, y como tal podría ser un cuadro y al mismo tiempo utilizarse también como toalla. Podría ser un cuadro perfecto y

Luis Camnitzer, *Fosa común* [Common Grave], 1969.
Cortesía Alexander Gray Associates, Nueva York

a la vez secarnos de forma un poco menos perfecta. Sin embargo, estas dos identidades o acciones no se complementan. Ese Rembrandt sería un objeto multifuncional que cambia según cómo lo utilicemos, y por lo tanto no es coherente en sí mismo. Utilizo a Rembrandt a propósito porque Duchamp lo usó como ejemplo para ilustrar la idea de un *"ready-made recíproco"*. Sugirió la utilización de un cuadro de Rembrandt para hacer una tabla de planchar[2]. Antes había definido al mingitorio como un *"ready-made* asistido" por haber convertido un objeto en arte. Aquí es al revés. Al convertir el cuadro en una tabla de planchar se eliminaría la función "arte" de la pintura. Tanto con el mingitorio como con el Rembrandt pasamos a un mensaje. En el caso nuestro de la toalla mantendríamos ambas funciones, y al estar separadas daríamos dos mensajes distintos.

Si el cuadro de Rembrandt no es una toalla, o sea que no sirve para cosas prácticas, ¿qué es?, más allá de una tela con pigmentos representando algo. Lo interesante de una obra de arte no está en que nos presenta algo

2) Es interesante que cuando en 1963 la *Mona Lisa* fue traída del Louvre al Metropolitan Museum de Nueva York, la tienda Macy's vendía toallas con la reproducción del cuadro.

Luis Camnitzer, *Pintura bajo hipnosis* [Painting Under Hypnosis], 1980.
Cortesía Alexander Gray Associates, Nueva York

conocido, sino en que nos enfrenta con algo que no conocemos. En la medida que es capaz de mantener la tensión en ese enfrentamiento a través del tiempo, esa obra mantiene su importancia. Con este criterio sacamos el arte o, mejor dicho, al espectador del campo del consumo pasivo y lo ponemos en el del conocimiento.

Esta movida parece simplificar las cosas, porque de golpe el arte adquiere cierta tangibilidad. Si aprendemos algo, aunque solo sea el hecho de que no lo sabemos, está muy bien; si no aprendemos, no. Aprender no significa necesariamente algo referido a datos concretos, a información que no teníamos, porque para eso está el salón de clase, la televisión y los periódicos, y para aquellos más audaces, también las bibliotecas. Hay una palabra interesante al respecto aquí, que es la palabra "misterio". Se refiere justo a algo desconocido, en cierto modo atractivo, mas no ordenable por medio de la razón o la lógica. Sucede en el instante en que atisbamos no solo algo que no conocemos, sino algo que, al menos por el momento, no es conocible.

El problema es que todos tenemos cantidades distintas de conocimientos. Por lo tanto, esta condición de darnos o sugerirnos conocimientos nuevos nos pondría en la posición de decir que la obra de arte sirve para medir el grado de nuestra ignorancia. Definir la obra de arte como un medidor de ignorancias, no parece ser una explicación muy buena; si bien puede justificar la idea de la actuación del museo como una escuela, trae consigo la idea nefasta, aunque común, de que se puede cuantificar la ignorancia o la adquisición de conocimientos. La frase "El museo es una escuela" terminaría siendo antiutópica y afinaría aún más la imagen del museo como un reflejo de la sociedad capitalista neoliberal.

Esta frase también pone en el tapete la cuestión de quiénes son los que componen el público al que se dirige el arte. Siempre hablamos del público como si fuera una masa homogénea, aun sabiendo que hay distintos grados de conocimiento o de ignorancia. Es lo mismo que hacemos al hablar del estudiantado como un grupo formado por gente toda igual. Sin embargo, en el estudiantado hay determinado nivel de conocimientos en el primer año de primaria y otro distinto poco antes de finalizar el doctorado, y todos son estudiantes. La palabra denomina una actividad, como también lo hace "peatón" o "drogadicto", pero anonimiza a la gente y no nos dice nada más. En el caso de "público" la palabra masifica e ignora que hay diversos niveles de educación, distintas cosmovisiones, diferentes formaciones e intereses culturales y condiciones socioeconómicas que muchas veces están en conflicto entre sí. Esto nos enfrenta al dilema de decidir a qué nivel de conocimientos nos dirigimos. Qué es lo que damos por sentado como una plataforma común, en qué momento estamos agregando algo nuevo a la misma y qué tipo de transformación logramos con ese agregado.

Para unificar todo esto en una plataforma de consenso habría que encontrar un denominador común en el cual las diferencias desaparezcan o, por lo menos, no afecten a la posibilidad de conectar con la obra de arte. Este denominador común en cierto modo empobrecería la cantidad de aspectos que la obra de arte puede tratar. Los promedios tienden a eliminar las sutilezas y el resultado tendría que limitarse a una problemática muy general y esquemática.

Cuando yo era estudiante de escultura en la Escuela de Bellas Artes en Montevideo, después de una larga lucha, logramos cambiar el plan de estudios y desligarnos de un gran número de profesores. Entre ellos estaba el profesor de Historia de Arte. Año tras año, este señor repetía con exactitud sus discursos limitados a la antigüedad, mientras que nosotros queríamos lidiar con el arte contemporáneo. Para suavizar el mensaje de la despedida le dijimos al profesor que no nos servía, dado que en sus clases había simplificado toda la historia del arte. Para él, el arte solo trataba de dos cosas, que, de acuerdo con sus propias palabras, eran: Eros y Tanatos, el amor y la muerte. La respuesta sorprendida y dolida del profesor fue: "¿Y qué otra cosa hay?". Si utilizamos la metáfora de un lente zum de fotografía, el lente del profesor estaba instalado de modo fijo en una longitud focal dentro de la cual él tenía razón. Mientras tanto, nosotros estábamos en otra muy distinta, quizás también inflexible, aunque más compleja y difícil de lograr. Buscábamos *aprender* sobre la posibilidad de tener razón.

Es la distancia focal del lente la que determina qué cosa es particular y tiene que estar en foco y qué cosa es más general y borrosa. En el uso del idioma sufrimos esa diferencia de distancias con mucha frecuencia. Luego se agregan los adoctrinamientos que se efectúan alrededor de los conceptos de patria y de religión, que filtran ciertas informaciones y destacan otras, así como las necesidades creadas de manera artificial por medio de la manipulación de la moda y por la voluntad de estar al día, de mostrar un estatus o de crear o evitar las exclusiones sociales. Las ideologías son otros lentes que tratan de organizar todo de modo que se puedan

Luis Camnitzer en diálogo con estudiantes de arte
en Casa de las Américas, La Habana, 1983.
Cortesía Archivo fotográfico Casa de las Américas, La Habana

compartir las creencias, y lo logran una vez que se internalizan y arman el consenso. Nadie cuestiona, por ejemplo, que hay que tener un empleo para sobrevivir o que hay que triunfar en la vida. Y, sin embargo, es por esa falta de cuestionamiento que aceptamos que el motivo por el cual tenemos que estudiar es para conseguir un buen empleo. No estudiamos para hacernos miembros maduros y constructivos de nuestras comunidades y poder ayudar a mejorar la vida colectiva. Aceptamos que para triunfar tenemos que competir y demostrar que somos mejores que los demás o, lo que es lo mismo, que los otros son peores que nosotros, lo cual a su vez nos embarca en una actividad agresiva y negativa, disfrazada de superación personal.

Es obvio que el amor y la muerte son dos temas lo suficiente amplios y compartidos como para darnos un denominador común, pero están un poco trillados y, en definitiva, no son los únicos. Podríamos agregar la guerra, el hambre y una docena más sin salirnos de la generalidad. En el otro extremo, encontramos aspectos que suponemos generales y condicionados por la biología, aunque son productos culturales internalizados.

Por ejemplo, el blanco, el negro y el rojo son percibidos como colores, de un modo relativamente universal, con una nomenclatura apropiada en la mayoría de los idiomas. En general, casi todos los idiomas describen de modo más certero los colores cálidos y menos certero los fríos. No obstante, se descubrió que mientras en la sociedad occidental capitalista identificamos varios tipos de azul, los miembros de la tribu amazónica tsimané, no. Nosotros vivimos con una infinidad de productos que tienen o pueden tener ese color u otros colores, y con esa variedad tenemos la posibilidad de elegir entre las distintas versiones de un mismo producto. Utilizamos el color para diferenciar. Para los tsimané, el azul se refiere ante todo al cielo, hay solo un cielo y por lo tanto no hay necesidad de diferenciación por el color ni de una nomenclatura correspondiente. Otro estudio encontró que determinadas ilusiones ópticas como las flechas de Müller-Lyer, que parecen más largas o más cortas según la dirección de sus puntas, funcionan en ciertas culturas y no en otras.

En la cultura occidental, influenciada por los valores de la industrialización y posindustrialización, suponemos que nuestra forma de percibir las cosas es compartida por todo el mundo. No tomamos conciencia de que estamos generalizando una visión hegemónica. Es una visión internacionalmente invasiva porque trata de unificar el consenso utilizando un flujo de información unidireccional proveniente de los centros financieros y culturales. Y es nacionalmente hegemónica porque el flujo unidireccional de información que trata de crear un consenso local proviene de las clases dominantes.

Cuando hablamos de "escuela", tanto en el sentido del sistema escolar normal como en mi atribución al museo, nos enfrentamos no solo al conocimiento, sino también a la distribución del poder que controla ese conocimiento y crea y explota ciertos entendimientos tácitos, tanto para incluir como para excluir, que sirven para reafirmar unos intereses y combatir otros. La generalización de que el arte se basa en el amor y la muerte, como invocaba mi profesor, es peligrosa porque excluye otras posibilidades. Asimismo, la idea implícita en la noción muy compartida de que el arte es un idioma universal que trasciende las fronteras geográficas es problemática, porque bajo la apariencia de un pacifismo idealista, se esconde un imperialismo comercial. El museo tiende a reafirmar esas cosas, como escuela ayuda a cuestionarlas.

Cuando estaba de moda, el latín era un instrumento utilizado para homogeneizar y ampliar el mundo europeo. Cuando en 1887 Ludwig

Zamenhof inventó el esperanto, lo hizo para facilitar la comprensión de los pueblos. Hoy, el idioma inglés trata de ayudar a unificar al mundo en un gran mercado comercial. No importa la intención, si militar, idealista o comercial, al final siempre se crean dialectos que rompen la homogeneización. El idioma universal sirve para algunas cosas, pero no entra en las sutilezas de lo local.

En el arte, por lo tanto, la situación es similar al de los idiomas hablados. Las palabras sintetizan en un par de letras todo un proceso de elaboración de significados proveniente de una acumulación de conocimientos y de creencias. Es por lo que cada vez que se extingue un idioma no solo se pierden sus palabras, sino también todo el proceso cognoscitivo que las generaron. Son conocimientos irrecuperables porque en su mayoría no son traducibles o son imposibles de vivenciar de nuevo. Aplicado al arte, no es que no entendamos lo que hacen otras culturas, puede haber productos inaccesibles debido a barreras culturales y falta de entendidos tácitos. Muchas veces se entienden las obras de modo incompleto y en diversos grados. Dentro de mi propia cultura yo puedo leer un tratado sobre la teoría de la relatividad y entender el idioma en que está escrito, aunque siga sin comprender un rábano de lo que estoy leyendo porque no tengo acceso a los razonamientos y entendidos que le sirven de base. Cuando lo popularizan, es un poco más fácil, no del todo. Y eso es lo mismo que el ejemplo del mingitorio de Duchamp para quien no comparte los entendidos tácitos que le sirven de contexto. La aceptación del mingitorio como parte de la historia mundial del arte contemporáneo puede ser vista, por lo tanto, como un síntoma de colonización más que como la documentación de un logro artístico, a menos que también se transmita el contexto y las condiciones que generaron la obra. Si el museo es una escuela, no debería limitarse a mostrar las obras, sino que tendría que compartir las condiciones que las generaron e hicieron que fueran inevitables e imprescindibles.

Hace muchos años estuve embarcado en una discusión con los maestros de una escuela de Petare, el suburbio más pobre y violento de Caracas. Estaba allí como parte de una actividad de educación artística para escolares, para la cual una fundación filantrópica mandaba reproducciones de obras de su colección en un intento de subir el nivel cultural de los educandos. Una de las maestras nos preguntó de manera muy directa: "¿Por qué tenemos que mirar un cuadro de Picasso si Picasso no pintó para nosotros y ni siquiera sabía que existimos?". La pregunta todavía me da vueltas en la cabeza porque es un eco de la famosa pregunta referente a las realidades existentes y las percibidas: si un árbol cae en el bosque y nadie lo oye, ¿cómo podemos afirmar que tanto el sonido como el árbol existen? O sea: ¿si no hay entendidos tácitos compartidos entre Picasso (o para el caso, también Duchamp con su mingitorio) y el público que lo ve, existe la cualidad de ser arte? La maestra, con total lucidez, estaba acusando a la fundación dueña de la colección de arte de estar ejerciendo imperialismo cultural. Es decir, de tratar de unificar consensos para reafirmar un solo consenso hegemónico, y de hacerlo sin transparencia y sin posibilidad de discusión.

Por suerte, la maestra agarró al equipo en un momento en que ya estábamos haciendo un cambio radical en el programa y le pudimos contestar. Ya no se trataba, como hasta ese momento, de presentar obras famosas porque eran famosas y se presumía que una persona culta debía conocerlas y memorizarlas para demostrar su cultura, sino de ver una obra de arte como una solución posible para un problema. No cualquier problema, sino alguno considerado interesante, y hacerlo incluyendo la discusión con respecto a su potencial interés. Con esto no logramos contestar la pregunta respecto al sonido del árbol cayendo en el bosque, pero al menos le quitamos cierta importancia. Aceptamos que, con independencia de los valores absolutos que puedan definir o no a una obra como obra de arte válida, lo que nos importa es la interacción con el público. El paquete no se cierra en "obra de arte", sino en "obra de arte dialogando con el público". Visto así, esta interacción se separa en dos partes: una es comunicación, la otra es proyección y hacer conexiones. La comunicación es responsabilidad del artista y este tiene que aprender y asumirla, como muy bien dice mi texto. La proyección, consciente o no, es lo que le corresponde hacer al público al buscar y crear conexiones. El museo o la escuela no están entonces para ayudar a apreciar las cualidades físicas del objeto o de los libros, sino para facilitar la comunicación y la proyección.

La comunicación es un tema que fue fluctuando durante la historia. Pudo ser comunicación con algún espíritu o fantasma. Pudo consistir en la reafirmación de los intereses de algún patrocinador como la iglesia, el gobierno, o un partido político. O pudo ser la mera comunicación que viene con el monólogo terapéutico de la afirmación del ego. Hoy todavía existen muchos artistas que declaran que solo trabajan para ellos mismos,

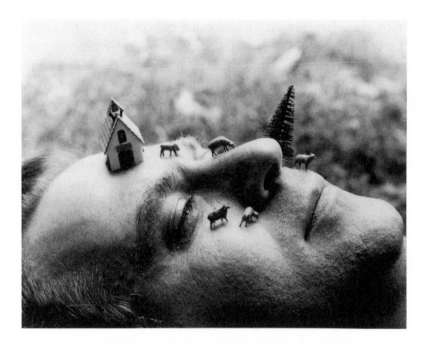

Luis Camnitzer, *Paisaje como actitud* [Landscape as an Attitude], 1979.
Cortesía Alexander Gray Associates, Nueva York

que no les importa si existe o no un público. Claro que en la realidad esta soledad no existe. La idea de "uno mismo" es una categoría ocupada por toda esa cantidad de gente que es similar a nosotros, con más o menos la misma educación, posición socioeconómica y con neurosis cercanas a las nuestras. A fin de cuentas, ese artista solitario no es nada más que un vocero para un grupo bastante grande de gente, con la ilusión vana de una incomunicación que piensa que le define un grado de originalidad. Al hacer arte siempre hay un diálogo. El autor de un monólogo se escucha, el artista artesano dialoga con el material, el artista politizado habla a las masas. La otra parte, la que complementa el monólogo y determina que, en efecto, haya un diálogo, consiste en la retroalimentación. El artista escucha el eco y lo digiere para ajustar su obra.

Cuando el museo crea una situación en la que el artista aprende a comunicarse, deja de ser un espacio dedicado a mostrar la pretendida riqueza de la colección o un lugar de homenaje a los que lo financian y, en cambio, pasa a ser un escenario desde el que el artista toma conciencia de que hay un público al cual se está dirigiendo y que eso conlleva cierta responsabilidad. En la época en la que yo aún daba clases, un ejercicio que proponía a los estudiantes era escribir un titular para un periódico de un millón de lectores. Esto ponía al estudiante en una situación de responsabilidad. Ya no sirve un "Hoy me levanté con dolor de cabeza" o "Estoy gozando del sol en mi jardín", sino que tiene que ser un título que logre algo en el lector. Es un tipo de responsabilidad que hoy por desgracia está desapareciendo. Si uno mira las redes sociales tipo Facebook o Twitter, vemos que actúan como espejos de Narciso. En la relación entre un museo-escuela y el artista-comunicador se establece un equilibrio de responsabilidad. El museo tiene así una misión clara y el artista una función con un cierto foco.

Con esto se revelan algunos propósitos que en general no han sido estudiados de manera correcta. Por ejemplo: ¿Para qué sirve el arte politizado? ¿Qué comunica en realidad? Con pocas excepciones, sirve para satisfacer la conciencia del artista o para publicitar su opinión personal, y ambas posibilidades son de poco interés para el público. Puede servir también para solidificar la opinión de un grupo de gente que ya está de acuerdo y necesita una iconografía. O, más interesante, puede ser útil para convertir a aquellos que opinan lo opuesto y pasarlos a la posición que el artista considera importante. Cada una de estas opciones necesita soluciones propias y formas de comunicar precisas que van mucho más allá de un impulso primario instintivo. Cuando uno le habla a alguien, es preferible que elija el vocabulario adecuado para ese alguien. Lo mismo sucede en el arte. La comunicación tiene que ser certera en el sentido de apelar a los entendimientos tácitos compartidos y usar estos como puente. Si no, el arte termina siendo ininteligible o paternalista. Se puede decir que la política de una obra no está tanto en el contenido de la obra, sino en el tipo de relación que se establece con el espectador.

Una frase favorita de cuando estudiaba arte era que si la obra se podía explicar, no hacía falta hacerla. En su forma más básica significa que si la obra se agota en un acto de narración, ya de entrada no había necesidad de hacerla utilizando un medio no narrativo. La moraleja, que pienso que es correcta, es que el medio que se utilice tiene que ser el medio perfecto para lo que se quiere hacer. No puede ser un sustituto que en última instancia termina siendo redundante e ilustrativo.

Tocando este problema con ironía, en 1964 el artista León Ferrari hizo *Cuadro escrito,* un largo texto que describía de forma minuciosa una pintura que nunca tuvo intención de pintar. Lo interesante de su proyecto no estaba en la narración ni en el cuadro imaginado, un cuadro que a propósito no tenía interés artístico. Lo importante aquí era que Ferrari estaba "pintando" dentro de la imaginación del espectador y transfiriendo su obsesión por el detalle a la mente del lector. Describir con palabras es, en realidad, lo que sucede cuando miramos cualquier obra de arte y tratamos de darle un sentido buscando su "razón de ser", de organizarlo cuando no vemos una organización clara. Para empezar, la idea en el espectador sobre si la obra se puede explicar o no, pone la responsabilidad total en el autor. El espectador al que se le explica (o no) es un recipiente pasivo. Al ver la obra y dar sentido a las cosas, la iniciativa pasa al que recibe la obra. Se puede decir que es recién entonces cuando la obra se completa. El sonido del árbol que cae en el bosque cobra vida al dejar de ser un sonido y pasar a ser un sonido escuchado. Con ello, aun apenas y sin darse cuenta, el que escucha se convierte en coautor.

La narración como explicación trae consigo otros problemas, aparte de los ya mencionados. En un ensayo de la década de 1980, el teórico cultural jamaiquino Stuart Hall menciona cómo la internalización del idioma nos hace pensar que somos autores del mensaje, mientras que en realidad el autor real es el lenguaje. Este tiene su carga ideológica, que es la que nos utiliza como vocero inconsciente[3]. Expandiendo la idea, podemos decir que esa falta del control atribuido al autor, la ideología, se infiltra en las partes explicables de la obra de arte. Afecta al contenido en el arte figurativo descriptivo, y en general al arte que se apoya 100% en el consenso público. Se podría decir que el arte más interesante es el que, en lugar de confirmarlo, logra desafiar ese consenso. Ese arte obliga a examinar las contradicciones que se establecen entre el lenguaje como sitio de poder y el artista cuando quiere asumirlo.

En la discusión de los temas referentes a cómo nos relacionamos con el arte nunca se promueve mucho esta noción de coautoría, aun si de hecho es una acción implícita en la vivencia de todo lo que hacemos desde el momento que opinamos. Muchas veces se habla de arte participativo y de arte interactivo, aunque en realidad en este tipo de arte las decisiones ya están hechas de antemano por el artista y la libertad del participante es

3) Stuart Hall, "The Rediscovery of 'Ideology': Return of the Repressed in Media Studies," en *Culture, Society and the Media*, ed. Michael Gurevitch et al., Londres y Nueva York: Routledge, 2005, p. 68.

mínima. La obra se completa gracias al trabajo del que recibe la información, y este lo hace siguiendo órdenes. Si se nos dice cómo tenemos que opinar, la coautoría disminuye aún más, o incluso queda anulada. Cuando un museo nos muestra sus objetos de forma dogmática, reafirmando el canon estético e ideológico vigente en lugar de ayudarnos a revisarlo de manera crítica y desbrozar las tensiones ideológicas, nos está negando la coautoría. Y a pesar de ello, cuando revisamos las obras que componen la historia del arte, nos pasamos proyectando ideas y emociones sobre esos objetos, que están basadas en el presente y en lo que presumimos que sucedió en el pasado. Aceptamos las conexiones que creemos indicadas, aunque hacemos las nuestras. A fin de cuentas, el valor presente de una obra de arte está en lo que permite proyectar sobre ella. Si la obra no permite la proyección y no nos estimula a hacer conexiones (no importa desde qué posición ideológica), termina desapareciendo de la historia. Si solo hay proyección, mas no obra, el coautor pasa a ser autor. Pero si hay obra que permite la proyección, hay que determinar también, en una escala mayor, quién controla esa proyección, cómo se distribuye el poder y a qué intereses le está sirviendo.

En una escala más reducida de la producción artística, el artista controla la proyección del espectador en la medida que su comunicación pueda ser cerrada por hermética e inaccesible, o explícita y agotable en su narrativa. El museo, a su vez, controla la proyección por medio de lo que podemos llamar una promoción de la idolatría o el endiosamiento del "objeto" artístico. Objeto aquí entre comillas, ya que este puede ser una situación no corpórea de la actividad artística y, también, el endiosamiento del artista como autor y productor, en lugar de definirlo como un agente cultural. Ambos controles se traducen en pautas y referencias, ya que no hay manera de atar al espectador. En los casos extremos estamos presenciando el peligro de un desempoderamiento del público, que acaba en el consumo pasivo.

Hagan lo que hagan el museo y el artista, estamos en una situación politizada debido a las relaciones que se establecen. Esta politización tiene poco que ver con el contenido político. Hay arte de narración política de izquierda que se inserta en una política de derecha por las formas que adopta y cómo las circula. Diría que cualquier monumento político, ya sea representando una política de izquierda progresista o una conservadora y neoliberal de derecha, se alinea en lo cultural con la derecha. Hay, por otro lado, obras faltas de contenido político que empoderan al público. El acento sobre qué clase de ideología política tiene una obra está puesto entonces en el tipo de administración de la proyección del público. Si el público aprende a hacer conexiones, se supone que estas son el resultado de proyecciones independientes que primero reafirman la coautoría y que después, de manera ideal, llevan a la autoría total por parte de quien se iniciara como un espectador pasivo y manipulable.

Todo este discurso ha sido gracias al comentario de un director de museo con el que no estuve de acuerdo. Uno nunca sabe adónde van a parar las cosas. Si tuviera que explicar por qué la aplicación de la frase a una fachada de museo es arte, no sabría cómo hacerlo. En parte, es porque a estas alturas la palabra arte solo se sirve a sí misma. Aunque vengo de una generación que creía en las utopías, es obvio que la palabra utopía comparte ese problema. Son palabras que pretenden ordenar, estabilizar, si no congelar, procesos dinámicos que en el momento en que se fijan se autodestruyen. Tanto la obra de arte como la utopía como obra conceptual no son nada más que cierres y formalizaciones provisorias y transitorias de procesos mucho más importantes que las trascienden. La tarea utópica es la de trascenderlas.

46

ANACRONISMO FELIZ.
LUIS CAMNITZER,
ARTE CONCEPTUAL
Y POLÍTICA —
— PETER OSBORNE

*Si el sujeto ya no puede hablar inmediatamente, al menos
ha de hablar [...] mediante las cosas, mediante su figura
extrañada y lesionada*
T. W. Adorno, *Teoría estética*, 1970

*Entonces, nuevamente, diría que soy un izquierdista de los
años cincuenta*
Luis Camnitzer, 2014

La obra de Luis Camnitzer ocupa un lugar anómalo, pero cada vez más importante, en el campo —o, quizá, deberíamos llamarlo la "problemática"— del arte conceptual[1]. A pesar de haber producido obras conceptuales basadas en el lenguaje (inglés) que se remontan a 1966, durante sus primeros años en Nueva York —la cuna del Arte Conceptual como movimiento canónico septentrional, en el momento en que la autoconciencia de esta corriente artística había llegado a su cima; los "Párrafos sobre arte conceptual" de Sol LeWitt se publicaron en 1967—, Camnitzer siempre ha quedado excluido de los estudios históricos clásicos sobre arte conceptual, incluso de las obras más extensas que se vienen publicando desde finales de los años noventa[2]. Algo similar ha sucedido con su obra artística, que

1) En este ensayo, empleo el término "problemática" sustantivamente, como un nombre, en el sentido que le solía atribuir el filósofo de la ciencia Gaston Bachelard (1884-1962), para hacer referencia a un espacio conceptual que posibilita tanto un conjunto determinado de problemas como una variedad de soluciones afines. Véase Patrice Maniglier, "What is a Problematic?", *Radical Philosophy* 173 (mayo-junio de 2012), pp. 21-23, http://radicalphilosophyarchive.com/article/what-is-a-problematic. Según esta interpretación, el "arte conceptual" no se concibe como un objeto con una definición fija, sino más bien como el producto histórico continuado de la aparición, en diferentes momentos y lugares, de la autoconciencia de un campo de problemas relacionados con el carácter conceptual del arte, que se articula, se desarrolla y se transforma a través de una serie de "soluciones" experimentales, críticas y artísticas.

2) Me avergüenza reconocer que Camnitzer tampoco aparece en el libro que yo mismo edité para la colección Themes and Movements de la editorial Phaidon, Peter Osborne (ed.), *Conceptual Art*, Londres, Phaidon, 2002 [Trad. cast.: *Arte conceptual*, Phaidon, 2006], si bien el planteamiento de esa obra estaba influido por la muestra *Global Conceptualism* que tuvo lugar en el Queens Museum of Art en 1999, comisariada por Camnitzer en colaboración con Jane Farver y Rachel Weiss. *Global Conceptualism: Points of Origin, 1950s-1980s*, cat. exp., Queens Museum of Art, Nueva York, Queens Museum of Art, 1999. En lo sucesivo, utilizaré la expresión "arte conceptual" (en minúsculas), para hacer referencia a las obras producidas dentro de la problemática general de la autoconciencia del carácter conceptual del arte. El origen de este arte se remonta a la emblemática figura de Marcel Duchamp. Emplearé la expresión "Arte Conceptual" (con mayúsculas), en un sentido más restringido, para aludir a las obras canónicas que se crean en el momento en que el propio movimiento considera que desarrolla su autoconciencia crítica por primera vez, en los Estados Unidos y en Europa, entre 1967 y 1972, obras asociadas con un conjunto restringido de soluciones artísticas y crítico-teóricas particulares.

Autorretrato [Self-Portrait] de Luis Camnitzer
Montevideo, Uruguay, 1951. Archivo Luis Camnitzer

aún no cuenta con una presencia significativa en las instituciones más importantes, con la excepción de la Colección Daros de Zúrich[3]. Desde hace décadas, la mayoría de sus obras se encuentran repartidas por museos de todo el mundo, museos que el propio artista —recuperando en su imaginación un proceso institucional que escapa a su control— se ha dedicado a "coleccionar"[4].

Esta colección imaginaria surge en parte en respuesta a la situación contradictoria e inestable en la que la "publicidad" perdurable de las obras no solo conlleva la desposesión del artista como condición, sino también la reposesión de la obra según los términos de una propiedad privada institucionalizada y de futuro incierto. En palabras del propio Camnitzer:

¿Qué sucederá con el arte-ya-no-tan-contemporáneo en las colecciones de los museos de arte contemporáneo? Los vínculos basados en la propiedad son frágiles y eso puede convertirse en un factor muy amenazante, especialmente cuando uno se da cuenta de la inestabilidad de las instituciones y de las bases teóricas sobre las cuales operan[5].

En este caso, la amenaza potencial genera una especie de fantasía de venganza —venganza del artista sobre el coleccionista—, en la que la relación de propiedad se invierte y es el artista el que colecciona al museo, como si lo encerrara en una vitrina.

Se trata de un planteamiento típicamente camnitzeriano en el que el relato autobiográfico (en este caso, el del acto de coleccionar y ser coleccionado) adopta, en sucesivos niveles de generalización, un carácter de parábola produciendo así una idea-arte verdaderamente autosuficiente: la colección de museos. La experiencia de una exclusión relativa —el aislamiento de la red internacional de galerías-coleccionistas-museos, a pesar de las relaciones esporádicas que el artista mantiene con este circuito, después de haber emigrado al mismo "centro" de esta red (Nueva York); la experiencia

3) Véase *Luis Camnitzer*, ed. Hans-Michael Herzog y Katrin Steffen, cat. exp., Daros Museum, Zúrich, Ostfildern: Hatje Cantz, 2010, el catálogo de la exposición de la obra de Camnitzer en el Museo Daros, 11 de marzo — 4 de julio de 2010.
4) Véase Luis Camnitzer, "My Museums" (1995), en *Luis Camnitzer, On Art, Artists, Latin America, and Other Utopías*, ed. Rachel Weiss, Austin, University of Texas Press, 2009, pp. 112-116.
5) Ibíd., pp. 115-116.

de encontrarse físicamente en el centro y, sin embargo, observarlo y ser observado por él de manera "periférica"— sirve como un punto de vista privilegiado para comprender y analizar el sistema. Esta comprensión no posee un propósito fundamentalmente teórico, sino práctico. Su finalidad es la producción de un arte que tiene en cuenta su situación y la aborda como un aspecto más de la obra, sin perder de vista su propia lógica y sus propias formas condicionadas por la historia y desarrolladas individualmente.

"Anómala pero importante", he dicho más arriba; sería más acertado decir que es importante *por sus formas* de ser anómala, que son, fundamentalmente, dos: su linaje del exilio latinoamericano (específicamente uruguayo) —que provoca un desplazamiento geopolítico en relación con el discurso occidental canónico del arte conceptual—, y una base práctica y crítica ajena a la problemática de la reducción formalista-moderna, en una expansión experimental de las artes gráficas hasta introducirlas en el campo del "arte" genérico.

Hay algo específicamente "latinoamericano", por ejemplo, en la estructura de la narración personal de "Mis museos"; no en un sentido culturalista (pues América Latina no existe, salvo como aspiración colectiva a una cierta autonomía política regional), sino en la forma histórica de su autoconciencia literaria: un yo artístico, construido a través de la irónica narración de una desposesión tanto literal como alegórica; una autoconciencia del exilio en la que esas historias se convierten en una especie de realidad paralela compensatoria. La figura del "coleccionista de museos" encajaría a la perfección en un relato de Jorge Luis Borges, por ejemplo, o de Roberto Bolaño. Borges, cuya "forma de pensar", según ha observado el propio Camnitzer, "está incrustada en la mentalidad colectiva de los intelectuales del Cono Sur, a tal punto que ni siquiera hace falta leerlo"[6]. Aunque Camnitzer sigue leyéndolo, por supuesto. Bolaño, que en las cinco partes de *2666* integró la práctica duchampiana del *ready-made* en la propia estructura de la novela histórica "como medio conceptual y como contenido narrativo", produciendo una obra que forma parte tanto de la literatura contemporánea como del arte contemporáneo[7]. Duchamp, un

6) *Luis Camnitzer in Conversation with / en conversación con Alexander Alberro*, Nueva York, Fundación Cisneros, 2014, p. 62.
7) John Kraniauskas, "A Monument to the Unknown Worker: Roberto Bolaño's 2666", *Radical Philosophy* 200 (noviembre-diciembre de 2016), p. 38, http://www.radicalphilosophyarchive.com/article/a-monument-to-the-unknown-worker.

artista cuya forma de pensar se encuentra tan arraigada en la mentalidad colectiva de los intelectuales del mundo del arte que ni siquiera es necesario contemplar su obra, se podría decir.

Borges y Duchamp se dan la mano en las primeras obras de Camnitzer, en las que el grabado se convierte en el medio que facilita el paso de la conciencia literario-filosófica a unos objetos que son en la misma medida conceptos y cosas. Objetos conceptuales: la forma despojada de sus medios, incluso. Se puede apreciar cierto tono conceptual característico que proviene, al mismo tiempo, de la inmediatez derivada de la simplicidad de los materiales físicos con los que se construyen las obras y de los modos lingüísticos. Una suerte de "color" para la idea, que se obtiene cuando se apaga el color de los objetos.

Las obras de Camnitzer representan una historia extraoficial que discrepa del Arte Conceptual hegemónico para la crítica estadounidense, británica y europea. En sus textos críticos propone una alternativa más amplia, que trasciende el marco teórico de este arte dominante. En sus recientes proyectos educativo-curatoriales traslada la política pedagógica de la izquierda latinoamericana de los años cincuenta y sesenta a la situación de la institucionalización de la crítica institucional que ha caracterizado a los eventos artísticos globalizadores desde los años noventa[8].

HISTORIA SECRETA

Yo era un artista que utilizaba el grabado (si así lo deseaba)
más que un grabador que hacía arte (si podía)
Luis Camnitzer

En todas las prácticas artísticas que ha desarrollado Camnitzer en los últimos cincuenta años se puede apreciar una extraordinaria coherencia y un ritmo estable de desarrollo a medida que se han adaptado a los cambios en su contexto. Esta circunstancia ha generado una identidad artística claramente reconocible en una obra que recurre a las relaciones

---

8) El carácter de evento que se les atribuye cada vez con más frecuencia a las exposiciones temporales en el mundo del arte globalizado está enfatizado en Terry Smith, "The Doubled Dynamic of Biennials", conferencia inaugural, Simposio de la Bienal de Busan, noviembre de 2013, anteriormente disponible online en www.globartmuseum.de, marzo-abril de 2014.

entre el lenguaje y la objetualidad para producir una dinámica distintiva dentro de la obra que posee su propia temporalidad: una forma determinada de marcar el tiempo (el tiempo histórico) que favorece una determinada apropiación del tiempo, una creación del tiempo dentro de la obra que permite al observador tomarse su propio tiempo con ella. Ninguna de sus obras se apresura a hacerse entender. Requiere su tiempo. Esto se aprecia enseguida, por ejemplo, en *Sentences* [Frases, 1966-1967] y en *Envelope* [Sobre, 1967], en el tiempo generado por la enigmática combinación del planteamiento lingüístico con la claridad gráfica y la simplicidad material, creando significados reflexivos a través de la experiencia de objetos que de alguna manera consiguen eludir la comprensión certera del observador. Por ejemplo, en el caso de *Adhesive Labels* [Etiquetas adhesivas], una de las versiones de *Sentences*, el efecto se logra con un gesto tan sencillo como la exhibición de una lámina con etiquetas impresas titulada *Sentences* en una "exposición postal" del New York Graphic Workshop. ¿Qué sucede exactamente aquí? El gesto es tan discreto, tan silencioso, que es prácticamente invisible. Sin embargo, contiene todos los elementos de la reorganización constante que caracterizará la práctica de Camnitzer, en modulaciones diferentes, cada vez más amplias, en los años posteriores.

Algo nuevo se genera a través de las relaciones entre un uso específico del lenguaje (la frase), su forma gráfica (el grabado), el soporte material (la lámina de etiquetas), el contexto (la exposición) y el modo en que todas esas relaciones se condensan en el título, *Sentences*, para dar lugar a un todo unitario que se proyecta en el espacio y en la forma de experimentar el arte: el arte en el sentido genérico, colectivamente singular del término "arte" que se impuso en el mundo del arte neoyorquino a principios de los años sesenta. En el contexto de las expectativas que podía generar una exposición en el New York Graphics Workshop, es la relación entre las sencillas frases descriptivas de cada etiqueta y el título de la obra lo que guía la interpretación (si se hubiera titulado *Labels* [Etiquetas], por ejemplo, la obra habría quedado relegada al género gráfico comercial y las palabras se habrían codificado como meros ejemplos de su forma impresa, y una lectura "artística" de esas palabras las habría elevado a la categoría de tautología, en el mejor de los casos).

La frase, como forma gramatical, no es en sentido estricto una "proposición" ni una "declaración" (formas lógicas más habituales en las pri-

Luis Camnitzer, *Sin título* [Untitled], 1968.
Cortesía Alexander Gray Associates, Nueva York

meras manifestaciones del Arte Conceptual)[9], aunque puede expresar ambas formas. Una frase es más bien un tipo determinado de completitud verbal, un conjunto de palabras completo de por sí. Lo normal, según se puede leer en los diccionarios, es que esté formada por un sujeto y un predicado. Pero la mayoría de las frases de *Sentences* no son normales. "Un horizonte circular perfecto." carece de predicado: el punto final, por sí solo, le aporta su completitud; y lo mismo sucede en ocho de las nueve frases de la lámina de etiquetas que se expuso en 2010 en la muestra

9) Las primeras obras de Joseph Kosuth se asocian sobre todo con las "proposiciones"; las de Lawrence Weiner con las "declaraciones", cuyo ejemplo paradigmático sería el de sus *Statements* (declaraciones) reunidas, de 1968.

del Daros Museum. Sin embargo, son conjuntos de palabras —expresiones descriptivas— completos en sí mismos. "Un horizonte circular perfecto" es una frase tan completa como el círculo que esa idea transcribe. Tan completa, o tan autosuficiente, como afirma el espacio que separa cada etiqueta. Como el fragmento romántico, cuya forma adoptan subrepticiamente, estas obras juegan con lo completo y lo incompleto, con el uso de la clausura física y léxica para crear una apertura semántica[10]. Siguen una lógica que se basa tanto en la poesía imagista como en la práctica del bricolaje, lo cual resta valor a cualquier lectura reduccionista que pretenda interpretar la obra desde una óptica estrictamente lingüística, pues entre sus elementos se incluyen las formas de la cultura material de la impresión (papeles, tintas, composición) como parte de sus materiales artísticos, más allá de su función de meros vehículos de su dimensión estética. La descripción del bricolaje que ofrece Claude Lévi-Strauss en *La Pensée sauvage* (El pensamiento salvaje, 1962) puede ayudarnos a interpretar la lógica dual —constructiva y cultural— de lo que se podría definir como el amateurismo artístico estudiado de las primeras obras conceptuales de Camnitzer[11].

En el primer capítulo de *La Pensée sauvage*, "La ciencia de lo concreto", Lévi-Strauss ofrece una explicación de lo que define como el "pensamiento mítico", que describe como "una suerte de bricolaje intelectual"[12]. Por otra parte, relaciona "la moda intermitente de los *collages*, nacida en el momento en que el artesanado expira", con "la transposición del 'bricolaje' al terreno de los fines contemplativos" en la cultura europea del siglo XX. De esta forma establece un vínculo implícito entre el bricolaje y la lógica constructivista, afín al montaje, de la obra de arte no orgánica (en la medida en que el *collage* es un modelo de obra no orgánica), conectando simultáneamente esta última (sin mayores explicaciones), a través de su estructura común, con "el pensamiento mítico" (la influencia del concepto de combinación

10) Para una interpretación de las "Sentences on Conceptual Art" (1969) de Sol LeWitt como un híbrido entre el fragmento romántico y la serie de información, véase Peter Osborne, *Anywhere or Not At All: Philosophy of Contemporary Art*, Londres y Nueva York, Verso, 2013, pp. 53-69.
11) Los autores que hablan de amateurismo en el primer arte conceptual suelen concentrarse en la noción de desprofesionalización. Véase, por ejemplo, John Roberts, *The Intangibilities of Form: Skill and Deskilling in Art After the Readymade*, Londres y Nueva York, Verso, 2007. No se presta tanta atención a las relaciones intrínsecas del amateurismo con la estructura de la producción de la obra, en la medida en que se aparta de las normas convencionales o profesionales en el uso de las tecnologías y las técnicas establecidas.
12) Claude Lévi-Strauss, *The Savage Mind*, Londres, Weidenfeld and Nicolson, 1966, pp. 17, 21 [Trad. cast. *El pensamiento salvaje*, México, Fondo de Cultura Económica, 1964].

surrealista en el estructuralismo francés es evidente). No obstante, en lugar de estudiar lo productiva que podría resultar esta conexión para una concepción del arte post-surrealista todavía emergente, en *La Pensée sauvage* Lévi-Strauss da un paso atrás para situar el arte en una posición convencional, "a medio camino entre el conocimiento científico y el pensamiento mítico o mágico", y afirmar que "sintetiza" las propiedades de ambos[13]. Podría parecer que esta postura nos conduce a una visión conceptual del arte, en la medida en que la ciencia se identifica con "el concepto" que confiere unidad y significado universal, una especie de legitimidad (estructura), a una secuencia de acontecimientos. Sin embargo, esta interpretación topológica de la "naturaleza intermedia" del arte lo deja suspendido en un espacio analógico que se postula de una manera demasiado contradictoria e indeterminada —y también demasiado inmanente y conservadoramente "estética"—, para permitirnos entender la especificidad de sus prácticas. Más bien, propongo que interpretemos el arte conceptual de Camnitzer como un ejercicio de bricolaje (en el que la técnica del grabado se utiliza como una especie de *collage*), siguiendo el ejemplo de la famosa frase de Sol LeWitt, que sostenía que "los artistas conceptuales son más místicos que racionalistas. Llegan a conclusiones que la lógica no puede alcanzar"[14]. Esta sugerencia se ve reforzada por la omnipresencia del legado surrealista del *collage* en el contexto latinoamericano, tanto en la cultura literaria como en la cultura visual.

Según Lévi-Strauss, el *bricoleur* es:

el que trabaja con las manos, empleando medios diferentes a los del artesano... Debe arreglárselas siempre con "lo que tenga a mano". Su universo instrumental es limitado, formado por un número de elementos a la vez heteróclitos y finitos, pues su trabajo depende menos de un proyecto que del resultado contingente producido por las diversas oportunidades que se le han ido ofreciendo de enriquecer o renovar los materiales de los que puede disponer. Cada elemento movilizado en la operación del "*bricoleur*" [...] se define únicamente a través de su uso potencial o, dicho de otra manera, en

---

13) Ibíd, pp. 22, 25.

14) Esta es la primera de las "Sentencias sobre arte conceptual" (1969) de Sol LeWitt, en *Conceptual Art: An Anthology*, ed. Alexander Alberro y Blake Stimson, Cambridge, Massachusetts y Londres, MIT Press, 1999, pp. 106-108 [Trad. cast.: "Sentencias sobre arte conceptual", en Simón Marchán Fiz, *Del arte objetual al arte del concepto*, Madrid, Akal, 1986].

el lenguaje del propio *"bricoleur"*, porque los elementos se recogen o se retienen según el principio de que "siempre se les podrá encontrar una utilidad". Cada elemento movilizado en la operación de bricolaje es un operador, en el sentido de que en él se coagulan toda una serie de relaciones a un tiempo concretas y virtuales, utilizables para toda una serie de operaciones cualesquiera dentro de un tipo[15].

¿Acaso no es esta una descripción de la construcción de una obra de arte no orgánica y en parte conceptual? Las creaciones del *bricoleur*, prosigue Lévi-Strauss, siempre "consisten en una nueva ordenación de las cosas", de tal manera que "una alteración que afecta a un elemento automáticamente afecta a todos los demás". Estas construcciones "hablan" al observador, no solo a través de su elemento explícitamente lingüístico, sino también de la unidad articulada de sus elementos como un todo. De este modo, argumenta Lévi-Strauss, funcionan como *signos*, dentro de los cuales coexisten las *imágenes* y las *ideas*[16]. Signos que son también *cosas*, podríamos añadir. En realidad, signos que "hablan" *como* cosas, de acuerdo con la definición que propone Adorno de la obra de arte, "una cosa que niega el mundo de las cosas", es decir, una *cosa-sujeto*[17].

En el *collage*, lo que se explota son las posibilidades disyuntivas del bricolaje. Cada relación es un desplazamiento. Según la famosa definición surrealista de Max Ernst, el *collage* es "el acoplamiento de dos realidades aparentemente irreconciliables en un plano que al parecer no les sienta bien [...] el plano del desacuerdo"; un acoplamiento que funciona de tal manera que da lugar a "una sucesión ilusoria de imágenes contradictorias, dobles, triples y múltiples que se apilan unas encima de otras"[18]. En este sentido, las primeras obras conceptuales de Camnitzer son *collages* de lenguaje y objetualidad, y el carácter irreconciliable de sus realidades se representa como un problema al que cada obra ofrece simultáneamente una solución específica (uno se enfrenta al problema desde la solución, en lugar de hacerlo al revés. El problema, una vez comprendido, revela la particularidad contingente de la solución, una particularidad que siem-

15) Lévi-Strauss, *The Savage Mind*, pp. 16-18.
16) Ibíd, pp. 20-21.
17) Theodor W. Adorno, *Aesthetic Theory*, trad. Robert Hullot-Kentor, Mineápolis, Minnesota University Press, 1997, p. 119 [Trad. cast.: *Teoría estética*, Madrid, Akal, 2004].
18) Max Ernst, *Beyond Painting* (1936), Nueva York, Wittenborn/Schultz, 1948, pp. 13-14 [Trad. cast.: "Más allá de la pintura", en Max Ernst, *Escrituras*, Polígrafa, Barcelona, 1982].

pre es superada por la estructura del problema que la obra revela. De esta manera, la obra siempre se trasciende a sí misma y plantea la posibilidad de otras soluciones, de otras obras).

El momento decisivo de *Sentences* de Camnitzer tiene lugar cuando el observador se encuentra con una de las nueve etiquetas que se presentan en una misma lámina en la exposición de Daros, una etiqueta diferente de todas las demás que contiene dos frases "normales", con sujeto y predicado: "*Esto es un espejo. Tú eres una frase escrita*". Se podría interpretar como una inversión irónica y ampliada de la idea en la que se basa la obra más famosa de René Magritte, *La traición de las imágenes (Esto no es una pipa)*, perteneciente a la serie que realizó entre 1928 y 1929. Si "esto" (la etiqueta impresa) es en efecto un espejo —y tú lo estás mirando, y él te devuelve la mirada—, entonces "tú", el observador, tienes que ser "una frase escrita". Y, de hecho, "tú", en cuanto observador —un observador que reflexiona sobre la idea de que la etiqueta impresa es un espejo, y llega a la conclusión de que él mismo es una frase escrita— cobras vida como interlocutor dialógico de la obra en el momento en que ella te interpela "a ti", a través de una frase escrita. En realidad, "tú", el observador, te reflejas en la obra, a través del "tú" impreso, que actúa como el "yo" que pronuncia la obra, que hace que cobres vida como destinatario de la obra. Esta relación Yo-Tú, eternamente reversible, es lo que el lingüista francés Émile Benveniste definía como "la correlación de la subjetividad"[19]. A través de esta correlación, el observador queda inscrito dentro de la obra como su compañero dialógico y, a la inversa, al mismo tiempo, interioriza la obra en su propia subjetividad reflexiva, como parte de la autoconciencia del proceso reflexivo que la obra pone en marcha. La diferencia entre el espectador y la obra se escenifica por tanto como un diálogo en el que cada interlocutor se introduce dentro del otro —un reflejo especular—, en una producción de autoconciencia a través de un reconocimiento dialéctico en el que la obra de arte desempeña el papel de segundo sujeto (cosa-sujeto)[20]. Así, se puede pensar que la obra pone en juego la estructura dialógica paradigmática de la subjetividad y de la comunicación.

19) Émile Benveniste, "Relationships of Persons in the Verb" (1946), en *Problems of General Linguistics* (1966), trad. Mary Elizabeth Meek, Coral Gables FL, University of Miami Press, 1971, pp. 195-204 [Trad. cast.: *Problemas de lingüística general*, vol. 1, Madrid, Siglo XXI, 1971].

20) Para la estructura de la dialéctica del reconocimiento entre conciencias, véase G. W. F. Hegel, *Phenomenology of Spirit* (1807), trad. A. V. Miller, Oxford, Oxford University Press, 1977, pp. 166-196 [Trad. cast.: *Fenomenología del espíritu*, México, Fondo de Cultura Económica, 1980].

La forma idealmente lingüística de la dialéctica comunicativa que des-encadenan estas dos frases —"Esto es un espejo. Tú eres una frase escri-ta."— es indiferente a las cualidades de su representación material en una etiqueta impresa. Sin embargo, el carácter semiótico, indicativo, de "esto" subraya su función referencial en relación con la especificidad material y estética de la obra. La disyunción entre estas dos "realidades irreconcilia-bles", la del significado y la de la materialidad, se manifiesta mediante la multiplicación de diferentes instanciaciones materiales de la obra. *Esto es un espejo. Tú eres una frase escrita.*" se presenta en diversas formas materiales: como una etiqueta adhesiva en la *Mail Exhibition #1* del New York Graphic Workshop (p. 59); como una placa de aluminio colocada en sentido horizontal frente a un espejo; como un cartel, sin puntación, so-bre polietileno moldeado en vacío (p. 93), y demás. Su idealidad semántica está presente en todas esas versiones, pero su representación material y situacional, su completitud como pieza, es diferente en cada caso. Nos en-contramos, por tanto, ante una obra "escultórica" en sus manifestaciones individuales. En cada representación de su estructura lingüística, cons-truye un espacio relacional materializado que se interpone entre el espec-tador y su forma material. En este sentido, es un ejemplo de la ontología posconceptual del arte contemporáneo como unidad de diferentes mate-rializaciones[21]. Aunque recuerda a algunas piezas pertenecientes al canon del Arte Conceptual neoyorquino, en su combinación específica de elemen-tos —su bricolaje—, se puede considerar que se adelanta a todas ellas. En la medida en que emplea el grabado como fundamento técnico, la obra de Camnitzer se puede alinear con los elementos no reconocidos de tipografía Pop en las obras de Joseph Kosuth. En la autoconciencia escultórica de su uso del lenguaje, se puede comparar con la obra de Lawrence Weiner. Su interés por el reflejo especular y la reflexión como operaciones ópticas y conceptuales al mismo tiempo permite relacionarla con algunas obras de Dan Graham. Su sensibilidad estética evoca las obras duchampianas del joven Robert Morris. Su crítica visual del idealismo lingüístico le sitúa en la misma línea que la obra de Robert Smithson *A Heap of Language* (1966).

Podría seguir. Pero no se trata de establecer similitudes, sino de recor-darnos la existencia de un contexto histórico de inteligibilidad y recepción en el que Camnitzer ocupaba en esa época una posición marginal, y en el

21) Véase Osborne, *Anywhere or Not At All*, pp. 108-117.

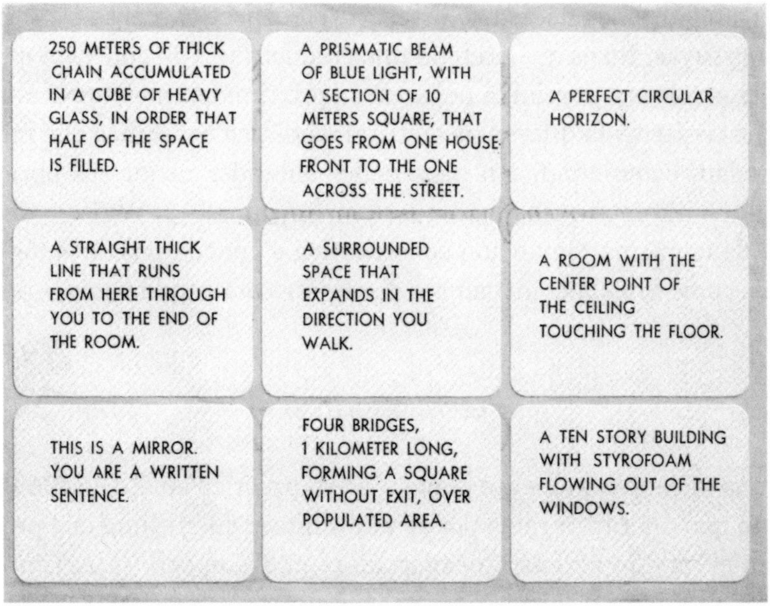

250 METERS OF THICK CHAIN ACCUMULATED IN A CUBE OF HEAVY GLASS, IN ORDER THAT HALF OF THE SPACE IS FILLED.	A PRISMATIC BEAM OF BLUE LIGHT, WITH A SECTION OF 10 METERS SQUARE, THAT GOES FROM ONE HOUSE FRONT TO THE ONE ACROSS THE STREET.	A PERFECT CIRCULAR HORIZON.
A STRAIGHT THICK LINE THAT RUNS FROM HERE THROUGH YOU TO THE END OF THE ROOM.	A SURROUNDED SPACE THAT EXPANDS IN THE DIRECTION YOU WALK.	A ROOM WITH THE CENTER POINT OF THE CEILING TOUCHING THE FLOOR.
THIS IS A MIRROR. YOU ARE A WRITTEN SENTENCE.	FOUR BRIDGES, 1 KILOMETER LONG, FORMING A SQUARE WITHOUT EXIT, OVER POPULATED AREA.	A TEN STORY BUILDING WITH STYROFOAM FLOWING OUT OF THE WINDOWS.

MAIL EXHIBITION #1
NEW YORK GRAPHIC
WORKSHOP

LUIS CAMNITZER

Luis Camnitzer, *Sentences. Adhesive Labels for #1 Mail Exhibition of New York Graphic Workshop* [Frases. Etiquetas adhesivas para #1 Mail Exhibition del New York Graphic Workshop], 1966. Cortesía Alexander Gray Associates, Nueva York

59

que, sin embargo, es necesario insertar retrospectivamente estas primeras obras suyas. No es que pretendamos reducirlas a un contexto que para Camnitzer solo era parcial, a pesar de su proximidad metropolitana, sino más bien registrar la diferencia cultural y política específica que mide esa proximidad, como condición para poder entender mejor sus obras posteriores, en algunos casos marcadas por un cambio de registro decisivo, dentro de la misma expansión constructiva y conceptual de la lógica del grabado como bricolaje: un cambio de registro orientado hacia la política.

ESPACIO POLÍTICO

Abrir una vía explícitamente política en su práctica en el año 1969 no fue un gesto que diferenciara de por sí a Camnitzer en el clima que predominaba en el mundo artístico neoyorquino en esa época (la Art Workers' Coalition se fundó en Nueva York en enero de ese mismo año). No se puede decir lo mismo de las referencias específicamente latinoamericanas de su obra. La guerra de EE. UU. en Vietnam se había convertido en una preocupación para los artistas norteamericanos desde mediados de los años sesenta (en este contexto, es inevitable recordar el tríptico de pinturas verbales de On Kawara *Title* [*One Thing, 1964, Viet-Nam*]), pero el apoyo que estaba prestando el gobierno estadounidense a las dictaduras de América Latina, que habían generado comunidades de exiliados como la del propio Camnitzer, aún no ocupaba un espacio importante en la conciencia geopolítica de los artistas neoyorquinos, fuera de esas comunidades. Camnitzer, sin embargo, ya se había politizado en su adolescencia cuando vivía en Uruguay, en gran medida debido a la invasión norteamericana de Guatemala en 1954. A finales de los años sesenta, el artista estaba buscando la manera de reflejar en su arte el punto de vista de un izquierdismo latinoamericano no alineado.

El giro hacia la forma política en el arte de Camnitzer se llevó a cabo a través de una "arquitecturalización" duchampiana de la práctica del etiquetado autorreferencial. *Living Room* [Sala Comedor] vio la luz en 1968 en forma de maqueta, una "habitación dentro de una caja" duchampiana, en la que los objetos de las paredes y del suelo se representan en detalle a través de descripciones lingüísticas (p. 61). La habitación se construyó después en una sala del Museo de Bellas Artes de Caracas, en 1969, con las

Luis Camnitzer. *Living Room* [Sala comedor], maqueta, 1968.
Cortesía Alexander Gray Associates, Nueva York

descripciones ampliadas como palabras fotocopiadas, para producir una materialización literal de un plano por el que se paseaban los espectadores, como si cruzaran una habitación que contuviera los objetos denotados. Los objetos adquieren una presencia espectral a través de su denotación, y transmiten un significado irónico a la palabra "living" de la expresión "Living Room". Solo "viven" o existen en la imaginación del observador[22].

Este principio se aplicó después a la reconstrucción del espacio literal de un acontecimiento: *Masacre de Puerto Montt*, que se instaló en el Museo de Bellas Artes de Santiago de Chile el 30 de junio de 1969. En esta obra, el plano a escala natural adopta el carácter de una investigación forense —la escena de un crimen— de un suceso que había tenido lugar tan solo unos meses antes, el 9 de marzo de 1969. Ese día, la policía asesinó a diez personas que habían ocupado un terreno en Pampa Irigoin, entre las que se encontraba un niño de nueve meses. En este caso, la ausencia

---

22) En los años cincuenta, Camnitzer estudió arquitectura en Montevideo, además de arte. Su abuelo materno (a quien no llegó a conocer) había sido arquitecto en Alemania.

de una presencia en forma de persona o de objeto no es solo melancólica o fantasmal en su estructura (como sucedía en *Living Room*), sino explícitamente mortal en su finalidad. La obra explota la metafísica general de la imagen (la dialéctica de la ausencia y la presencia) para codificar una relación con unas muertes específicas.

Por su apariencia, estas piezas podrían recordar al tipo de obra conceptual que llevó a cabo Mel Bochner en *Room Measurement* (que se presentó por primera vez en la Galerie Friedrich de Múnich en 1969) —otro emblema del Arte Conceptual de Nueva York—, en la que el espacio de la galería se "marca" con cinta adhesiva y números de Letraset para revelar sus medidas[23]. Sin embargo, desde el punto de vista conceptual, representa el proceso inverso. Mientras que la obra de Bochner se aleja de la apariencia para acercarse a la esencia (matemática), en cuanto que deja al descubierto la forma geométrica, Camnitzer avanza en la dirección opuesta, pues hace que se materialice un plano en la réplica ampliada, a escala natural, del propio plano. Los dos artistas tratan al observador como una presencia material dentro del espacio de la obra, pero lo hacen de maneras diferentes. En el caso de *Masacre*, se traslada al observador, de forma imaginativa, hasta el espacio vaciado de la propia masacre.

En *Leftovers* [Restos, 1970] (p. 110-111), una pieza más simbólica aunque también más irónica —literalmente, los restos físicos de una pieza performativa de 1968—, se apilan contra una pared unas cajas de cartón, envueltas en gasas manchadas de sangre simulada, marcadas con la palabra "Leftovers" y un número romano. Se trataba de una respuesta irónica a la primera reacción que tuvo la izquierda al contemplar *Masacre*, que le criticó por no mostrar imágenes sangrientas. Esta instalación se montó por primera vez en la Paula Cooper Gallery de Nueva York. En las demás paredes, acompañando a las cajas, Camnitzer dibujó armarios llenos de armas, recuperando la lógica de *Living Room* —en este caso, políticamente, un espacio de muerte—. Hoy en día, parece un objeto escultórico más

---

23) Bochner comisarió la que algunos críticos consideran que fue la primera muestra de arte conceptual en Nueva York, *Working Drawings and Other Visible Things on Paper Not Necessarily Meant to be Viewed as Art*, la exposición de Navidad que organizó la School of Visual Arts de Nueva York a finales de 1966. Conocida como la "Xerox show", estaba integrada por cuatro carpetas de anillas de tamaño A4, o "Xeroxbooks", donde se reunían en orden alfabético las obras de la exposición fotocopiadas y, al final, se incluían unos diagramas con las instrucciones de montaje de la propia fotocopiadora. Es este interés por los diagramas y la diagramación lo que permite relacionar la práctica de Bochner con algunos aspectos de la de Camnitzer.

Luis Camnitzer. *Masacre de Puerto Montt* [Massacre of Puerto Montt], 1969,
vista de la instalación en el Museo Nacional de Bellas Artes,
Santiago de Chile, Chile, 1969. Archivo Luis Camnitzer

autónomo, que subraya la sensual materialidad de una pieza que, indudablemente, resulta mucho más directa y atractiva que esa dimensión estética sutil y circunscrita de muchos de los primeros objetos conceptuales. Sin embargo, sigue conservando su función retórica, gracias sobre todo a la presencia de la palabra "Leftovers", que ofrece un contrapunto a la estética expresionista de esa imaginería tan habitual. Esta evolución nos lleva a plantearnos la cuestión más general de la estética —o, mejor dicho, de la erótica— de los objetos conceptuales de Camnitzer.

Digo la "erótica" porque el deseo, así como el desinterés, siempre entra en juego, hasta cierto punto, en su obra; no solo en el sentido del "hedonismo castrado" de la tradición estética[24], sino en el sentido de que la tensión entre las "realidades irreconciliables" de los elementos del *collage* es siempre sexual, en cierto modo (las dos realidades, insistía Max Ernst, "acabarán haciendo el amor")[25]. En los bricolajes de palabra y objeto de Camnitzer, está tensión se consigue gracias a la mediación del formalismo

24) Así es como describe Adorno la estética de Kant. Adorno, *Aesthetic Theory*, p. 11 [Trad. cast.: *Teoría estética*, ed. de Rolf Tedemann con la colaboración de Gretel Adorno, Susan Buck-Morss y Klaus Schultz, trad.: Jorge Navarro Péres, Madrid, Akal, 2004].
25) Ernst, *Beyond Painting*, p. 19.

Vista de la exposición de Luis Camnitzer en Paula Cooper Gallery,
Nueva York, 1970. En primer plano, *Leftovers* [Restos], 1970.
Archivo Luis Camnitzer

del grafismo, que llama la atención sobre las cualidades físicas —sencillas hasta la exasperación— de las obras, que se revelan de una manera sensual. En *First, Second, Third Degree Burn* [Quemadura de primer, segundo, tercer grado, 1970] (p. 66) —una obra que recuerda a *Leftovers* en el estarcido y en el marrón sangriento y oxidado de los signos marcados sobre papel—, las palabras se impregnan en el papel con fuego. En cierto sentido, esta obra habla de la tortura en la misma medida que lo hace la serie más convencional de foto-textos *Tortura uruguaya*, 1983-1984 (pp. 160-175); pero en las cualidades de su materialidad —la invitación al tacto—, parece que versa además sobre el amor (sobre la ausencia clamorosamente presente del amor). Esta cualidad erótica —silenciosa y por momentos angustiosa—

está presente en todos los objetos de Camnitzer, en toda la variedad de sus formas. La silenciosa "coseidad" (*die Dinglichkeit*) de los objetos de Camnitzer rezuma un trasfondo de desplazamiento, de pérdida, de política, de muerte y de deseo. *¿Tan alemana es*, cabe preguntarse, la gramática de la práctica de Camnitzer?[26] No olvidemos el segundo estrato del exilio (la segunda sombra del colonialismo en Sudamérica): un niño alemán en Uruguay durante la Segunda Guerra Mundial. ¿Acaso no es también *Tortura uruguaya* una repetición de una tortura dos veces evitada?[27]

LA GLOBALIZACIÓN DEL CONCEPTUALISMO

Dada la posición periférica de las primeras obras de Camnitzer, situadas en el contexto del grafismo y de la reducida comunidad artística latinoamericana de Nueva York, y la naturaleza específicamente sudamericana de sus obras más políticas, ha sido fundamentalmente a través de sus escritos cómo el artista se ha impuesto en la conciencia de lo que sigue siendo (de momento, pero ¿durante cuánto tiempo?) un mundo artístico internacional que entra y sale de la corriente dominante de la cultura europea y estadounidense. La difusión de su obra artística —y de su increíble coherencia a lo largo de más de cinco décadas— ha seguido un ritmo más irregular. Sin embargo, las tres áreas fundamentales de su práctica (arte, crítica y comisariado) solo se pueden entender plenamente desde el punto de vista de sus interrelaciones.

Los escritos de Camnitzer han desempeñado dos funciones principales: acercar en cierta medida la singularidad del arte latinoamericano posterior a los años sesenta al público angloparlante, ofreciendo una reflexión crítica sobre la desigualdad de las condiciones de esa recepción, y comunicar la idea de que el "conceptualismo" posee un alcance profundamente global y debe interpretarse como un conjunto heterogéneo de prácticas artísticas, localmente distintivas, cuya unidad, desde los años cincuenta, no depende de un estilo ni de un movimiento, sino de ciertos problemas y estructuras de respuesta asociadas —lo que yo he definido

---

26) Walter Abish, *How German Is It* [*Wie Deutsch Ist Es*, 1979], trad. Michael Hoffmann, Londres, Faber and Faber, 1983 [Trad. cast.: *Tan alemanes*, Barcelona, Anagrama, 1985].
27) En 1938, cuando Camnitzer solo tenía un año, su familia abandonó Alemania y se trasladó a Uruguay. Sus abuelos paternos y su tía murieron en un campo de concentración en Alemania.

Luis Camnitzer, *First, Second, Third Degree Burn*
[Quemada de primer, segundo y tercer grado], 1970.
Cortesía Alexander Gray Associates, Nueva York

como una problemática[28]. Podría parecer que estas dos propuestas son contradictorias: una regionalista, la otra globalizadora. Sin embargo, se encuentran intrínsecamente interrelacionadas desde un punto de vista dialéctico, pues es la idea expansiva del "conceptualismo en el arte latinoamericano" la que sirve como modelo para la proyección de un conceptualismo global "profundamente diferenciado", "en el que se establecen una serie de conexiones esenciales entre las distintas localidades, que sin embargo no quedan subsumidas bajo un conjunto homogeneizado de circunstancias y respuestas a dichas circunstancias", lo cual deriva en "un mapa con múltiples centros y diversos puntos de origen en el que los sucesos locales son determinantes cruciales"[29]. De esta manera se despliega una perspectiva global para entablar una batalla contra la hegemonía de la "globalización" capitalista en cuanto proceso de homogeneización económica, una estrategia de pluralización.

El punto de vista latinoamericano posee una importancia particular en este caso, por dos razones. En primer lugar, porque allí se emplearon las estrategias conceptuales en un sentido artístico (como se hizo en otros lugares, por ejemplo, en Japón y en la Europa oriental), antes que lo hiciera el Arte Conceptual canónico, y de una manera diferente, ampliando

---

28) Véase arriba la nota 1. *Luis Camnitzer, New Art of Cuba*, Austin, University of Texas Press, 1994; reimpreso en 2003; Camnitzer et al., *Global Conceptualism* (1999); Camnitzer, *Conceptualism in Latin American Art: Didactics of Liberation*, Austin, University of Texas Press, 2007 [trad. cast. *Didáctica de la liberación. Arte conceptualista latinoamericano*, Murcia, Cendeac, 2009]; Camnitzer, *On Art*.
29) Camnitzer, Farver, and Weiss, prólogo de *Global Conceptualism*, p. vii.

así tanto el alcance temporal como el alcance artístico de la categoría del arte conceptual. Y en segundo lugar, el contexto y la lógica de estas estrategias artísticas poseen fundamentalmente un carácter político-cultural —y a menudo poético—, que sustituye al sesgo más limitado de la perspectiva artístico-institucional, ampliando de esa manera el campo teórico de su comprensión crítica. El resultado de este movimiento retrospectivo de interpretación, desde los años noventa, del arte latinoamericano que se ha desarrollado entre finales de los cincuenta y principios de los setenta a partir de sus diferencias con la versión neoyorquina del Arte Conceptual de los sesenta, es la creación de una categoría histórico-artística general, unificadora, de conceptualismo que no se proyecta únicamente en sentido horizontal —sobre un mundo del arte globalizador— sino también en sentido vertical, histórico, hacia atrás. Tengo mis dudas en relación con las consecuencias imprevistas, irónicamente homogeneizadoras, de esta totalización de lo conceptual, que lo transforma en un -ismo, y soy más partidario de una ampliación teórica e histórica del término "arte conceptual", que me parece más neutral[30]. Pero, independientemente del término que se elija para designar esta ampliación, es indudable que hay que reconocerle a Camnitzer el mérito de haber dado los primeros pasos —y los más decisivos— en esta dirección, y agradecerle el ingenio supremo y las ironías dialécticas de su relato del conceptualismo en el arte latinoamericano, y la conclusión decisiva y liberadora a la que llega en su explicación: que *no existe* algo que se pueda definir como "América Latina".

Esta conclusión le permite dotar de un significado histórico-político determinado a la idea fundamental de Adorno que afirma que "dado que el arte es aquello en lo que se ha convertido, su concepto refiere a lo que no contiene [...] Se define a través de su relación con lo que no es"[31]. Al aferrarse a la idea latinoamericana de la "política de la liberación", como forma específica de "lo que no es" (aún), Camnitzer explota la acronía de lo inexistente —su codificación dual, pasada y futura— para mantener

---

30) Véanse arriba notas 1 y 2. En mi ensayo "The Kabakov Effect: 'Moscow Conceptualism' in the History of Contemporary Art", en Peter Osborne, *The Postconceptual Condition: Critical Essays*, Londres y Nueva York, Verso, 2018, cap. 12, propongo una genealogía diferente para la categoría de conceptualismo, basándome en la dinámica internacionalizadora del término "Conceptualismo de Moscú". Para una explicación alternativa, más centrada en Nueva York, de la transición del "conceptualismo" al "arte contemporáneo", véase Terry Smith, *One and Five Ideas: On Conceptual Art and Conceptualism*, ed. Robert Bailey, Durham, Carolina del Norte, Duke University Press, 2017.

31) Adorno, *Aesthetic Theory*, p. 3.

abierto un futuro que (a la manera de Walter Benjamin) localiza en las esperanzas del pasado. Sin embargo, este futuro ya no puede ser únicamente latinoamericano; ahora es necesariamente "global" en su alcance. A través de la idea del conceptualismo global, Camnitzer proyecta una globalización de esta inexistencia en el espacio del arte contemporáneo, un espacio necesariamente utópico. Este futuro utópico encuentra su anticipación en el presente, según Camnitzer, en los procesos y las prácticas del arte como educación.

VALOR EDUCATIVO

El valor educativo y el valor de consumo del arte pueden converger en ciertos casos óptimos (como en Brecht) [...] haciendo posible un nuevo tipo de aprendizaje.
Walter Benjamin, 1935-1936

El arte posee numerosas funciones y valores de uso: valor ritual, valor expositivo, valor de consumo, valor de entretenimiento, el valor que le atribuyen los entendidos, valor como patrimonio, valor como protesta, y valor educativo, que resulta crucial[32]. La estructura "solución-problema" que Camnitzer pone en juego en sus primeras obras conceptuales permite alinearlas, desde el principio, con un enfoque pedagógico de la relación con el observador. Ese planteamiento didáctico es uno de los tres elementos principales en los que se enmarca la tradición del arte latinoamericano en general: política, poesía y pedagogía[33]. En *Conceptualism in Latin American Art* [Didáctica de la liberación. Arte conceptualista latinoamericano] la pedagogía se afina para convertirse en una "didáctica de la liberación". A lo largo de la última década o así, sin embargo, esta didáctica artística (teoría de la enseñanza) se ha atemperado con ayuda de su compañera dialéctica, una matética (teoría del aprendizaje), y ha

---

32) Los ensayos que escribió Walter Benjamin en los años treinta sobre la función política de los valores de uso de la cultura (en los que me he basado para confeccionar esta lista) giran en torno al concepto del valor educativo o valor didáctico (*Lehrwert*). Véase, por ejemplo, el fragmento "Theory of Distraction", en Walter Benjamin, *Selected Writings*, vol. 3: 1935-1938, Cambridge, Massachusetts y Londres, Belknap Press of Harvard University Press, 2002, pp. 141-142.

33) *Camnitzer in Conversation with Alberro*, p. 112.

adquirido una dimensión práctica en el comisariado de proyectos educativos asociados con importantes exposiciones: la Bienal del Mercosul de 2008 y, en particular, la exposición que se celebró en el Guggenheim de Nueva York en 2014, *Under the Same Sun: Art from Latin America Today* [Bajo el mismo sol. Arte de América Latina hoy]. Al mismo tiempo, esta transición ha venido marcada en el arte de Camnitzer por un desplazamiento desde lo que podríamos interpretar como una crítica de las formas visuales de la historia del arte convencional, en *Art History Lesson* [Lección de historia del arte, 2000], hacia la afirmación positiva de *The Museum is a School* [El museo es una escuela, 2009-2018]. Entretanto, el realismo más o menos melancólico que siempre acompaña al utopismo político de Camnitzer se ha intensificado con el creciente pictorialismo de sus instalaciones.

Cabe destacar varios aspectos en este aparente giro curatorial-pedagógico. En primer lugar, no se trata tanto de un giro en el proyecto general de Camnitzer como de un aprovechamiento de las nuevas oportunidades que ofrece la (por ahora) rápida expansión de los programas educativos en las instituciones artísticas más importantes. A lo largo de su carrera, Camnitzer siempre ha sido consciente de la importancia de las instituciones y se ha interesado por atraer a los observadores empleando estrategias de orientación pedagógica. Existe una continuidad tanto en el proyecto como en el planteamiento teórico que permite relacionar el comisariado de la exposición *Art in Editions: New Approaches* [Arte en ediciones. Nuevos enfoques] que se inauguró en el Loeb Center de la Universidad de Nueva York en 1967, con la *Teacher's Guide* [Guía didáctica] que el artista preparó para *Under the Same Sun* en 2014, y que no se limita a las similitudes formales entre las portadas de las publicaciones que acompañaron a ambos proyectos. De hecho, en segundo lugar, llama la atención que, a pesar de su "anarquismo ético"[34], Camnitzer nunca ha considerado que "institución" sea un término peyorativo, en el sentido en que lo era para la así llamada vanguardia histórica de 1909-1929[35]. Por muy optimista que uno se muestre en relación con los intereses que distorsionan su

34) Ibíd., p. 30.
35) Peter Bürger, *Theory of the Avant-Garde* (1974; 1980), trad. Michael Shaw (Mineápolis, Minnesota University Press, 1984 [Trad. cast.: *Teoría de la vanguardia*, Buenos Aires, Las cuarenta, 2009]. La hipótesis de Bürger es más convincente en relación con el dadaísmo y el surrealismo que con el constructivismo y el productivismo soviéticos.

Postales de *El museo es una escuela*
[The Museum is a School], 2009-2018, producidas por
diferentes instituciones en las que se ha ejecutado la obra.
Archivo Luis Camnitzer

misión formal, lo cierto es que las instituciones artísticas se perciben como espacios de transformación, lugares que hay que negociar, criticar y utilizar; lugares de posibilidad cultural. Lo más sorprendente, en realidad, es que Camnitzer haya conservado hasta tal punto su confianza política en la educación al pasar del contexto de la América Latina de los sesenta al de las instituciones de arte internacionales del siglo XXI. Esto plantea algunos problemas relacionados con la recepción, pero también se puede interpretar, de una manera sutil, como una fortaleza histórica.

La historia de la "crítica institucional" desde los años sesenta hasta finales del siglo XX, en cuanto práctica artística, discurso crítico y conjunto de estrategias institucionales, ocupa un lugar privilegiado desde hace tiempo en el discurso académico, y se resume y se adapta una y otra vez para presentársela a cada nueva generación de estudiantes de arte, enmarcándose en una serie cada vez más circular de momentos y géneros: desde la crítica institucional a la "institucionalización de la crítica institucional", al "nuevo institucionalismo", o a la "desinstitucionalización" (institucionalizada)[36]. Camnitzer se ha mantenido alejado de estos discursos, a pesar de haberse involucrado en la problemática y en el movimiento histórico relacionados con ellos. Comparemos, por ejemplo, sus dos manifiestos: el irónico "Manifiesto" de 1982 ("Presumo de ser un artista revolucionario [...] para vender más"), escrito en el periodo inmediatamente posterior al apogeo del Arte Conceptual, con el "Manifiesto de La Habana" de 2008 ("Creo que en el universo hay una cantidad de poder finita [...] Creo que deberíamos pensárnoslo dos veces antes de producir una obra de arte"), escrito veintiséis años después. El último es menos estridente, menos iracundo, no se centra tanto en el artista, es menos abstracto y más formal. Pero no es menos conceptual ni menos político (aunque el estilo sea diferente). Y sigue dirigiéndose directamente al observador. Este es el populismo político de Camnitzer. Sin embargo, el contexto ha cambiado. Las contradicciones de las instituciones globalizadoras, que han favorecido la expansión de la industria de la cultura hasta llegar al corazón del arte institucionalizado, hacen que la auténtica "socialización creativa" —en contraposición a su simulación legitimadora— sea una tarea

36) Alexander Alberro y Blake Stimson, eds., *Institutional Critique: An Anthology of Artists' Writings*, Cambridge, Massachusetts, y Londres, MIT Press, 2009; John C. Welchman, ed., *Institutional Critique and After*, Zúrich, JRP/Ringier, 2006); Jonas Ekeberg, ed., *New Institutionalism*, Verksted 1, Oslo, Office of Contemporary Art, 2003; James Voorhies, ed., *Whatever Happened to New Institutionalism?*, Berlín y Nueva York, Sternberg Press, 2016; Bik Van der Pol and Defne Ayas, eds., *Were It As If: Beyond An Institution That Is*, Róterdam, Witte de With, 2017.

mucho más difícil de realizar. El arte puede parecer innecesario, al lado de las acuciantes necesidades sociales de algunas de las comunidades a las que intenta atraer. El truco de Camnitzer consiste en refinar este problema con una determinación que casi avergüenza a las propias instituciones.

En el paradójico hospicio de las *Utopías fallidas* (2010-2016), las utopías se mantienen vivas gracias al recuerdo de los fracasos de los proyectos que definieron; rejuvenecen y niegan esos fracasos a través de su propia inexistencia, una inexistencia que comparten, en diferentes sentidos, con el arte: "cosas que niegan el mundo de las cosas". Este es el feliz anacronismo de la didáctica de la liberación, convertida en matética de la historia del arte: el feliz anacronismo del arte de Camnitzer.

HACIA UN ARTE TOTAL.
LUIS CAMNITZER COMO
EDUCADOR/ARTISTA —
— BEVERLY ADAMS

Solo si llevamos a cabo una investigación ética integral que
abarque todas las fases del proceso de creación artística,
una investigación que hasta ahora no ha abordado con rigor
ningún artista ni educador, tendremos la posibilidad de
desarrollar una estética realmente válida para nuestra época
y nuestro entorno.
Luis Camnitzer, 1989[1]

Antes de entrar en materia, me gustaría hacer una confesión: entre 1989 y 1996, aproximadamente, un periodo que coincide a grandes rasgos con mi etapa como estudiante de posgrado en la Facultad de Historia del Arte de la Universidad de Texas y empleada de la Archer M. Huntington Art Gallery de esta misma institución, fui presidenta del Club de Fans de Luis Camnitzer, Sección de Austin (una de las numerosas organizaciones ficticias que el artista se ha inventado a lo largo de su carrera). Durante mi mandato presidencial Camnitzer publicó varios ensayos críticos en diferentes revistas de habla inglesa y el libro *New Art of Cuba*[2]. Y es probable que mi decisión de asumir la presidencia de su Club de Fans fuera una consecuencia directa de la lectura de aquellos textos, estimulantes ensayos e incursiones en la historia del arte que tuvieron una importancia fundamental para la comprensión (la mía incluida) y la creciente difusión del arte latinoamericano en Estados Unidos durante los años ochenta y noventa.

En la época en que yo empecé a leer a Camnitzer, él ya contaba con una dilatada trayectoria como artista y educador. Después de trasladarse a los Estados Unidos en 1964, trabajó como profesor en el Pratt Center for Contemporary Printmaking; fundó, en colaboración con Liliana Porter y José Guillermo Castillo, el colectivo de grabado New York Graphic Workshop (NYGW), y redactó los manifiestos y las declaraciones que había publicado este grupo; en 1969, comenzó a impartir clases en la State University de Nueva York, en Old Westbury, y fue el primer director de la Wallace Gallery de esa universidad; en 1971, colaboró en la fundación del Museo Latinoamericano de Nueva York y del grupo que más tarde

1) Luis Camnitzer, "The Idea of a Moral Imperative in Contemporary Art", ponencia presentada en un encuentro de la College Art Association, San Francisco, 1989; reimpresa en *Luis Camnitzer: Retrospective Exhibition, 1966-1990*, ed. Jane Farver, Bronx, Nueva York, Lehman College Art Gallery, 1991, pp. 48-50.
2) Luis Camnitzer, *On Art, Artists, Latin America, and Other Utopias*, ed. Rachel Weiss, Austin, University of Texas Press, 2009.

se escindiría de ese organismo, el Movimiento de Independencia Cultural de Latino América (MICLA)[3], y en 1972 fundó el Estudio Camnitzer Porter, un taller de verano de grabado con sede en Lucca, Italia. Escribía con asiduidad para las revistas *Marcha* y *Arte en Colombia*, comisariaba exposiciones y, además, por supuesto, a lo largo de todos esos años había desarrollado una carrera como artista.

Digo "además" porque siempre se ha considerado que su producción como escritor es una actividad paralela a su práctica artística; Camnitzer es un artista que escribe sobre arte[4], no un artista que trabaja con la escritura. En los últimos cincuenta años de auge y decadencia del arte latinoamericano en los Estados Unidos, Camnitzer ha contribuido a dar forma a este campo, y no solo ha creado un contexto para su propia condición —la de un artista uruguayo que vive y trabaja en Nueva York—, sino que además ha definido los criterios éticos que debemos tener en cuenta para juzgar el arte latinoamericano y respetar su especificidad. La definición de estos criterios tan exigentes y la transformación de nuestra forma de ver el arte son una consecuencia directa de su interés por la pedagogía, una faceta que, al igual que la escritura, es inseparable de su producción artística. Camnitzer suele recordar que en Uruguay la educación se considera un derecho innato. Allí fue donde aprendió a exigir y a crear un arte y una educación basados en la reflexión y en el compromiso. La fusión de los diferentes medios de expresión que utiliza el artista se remonta a su experiencia en Uruguay, donde comprendió que la enseñanza no es solo una herramienta para luchar contra el mercado, sino también un espacio de creatividad.

Quizá el más famoso de los ensayos que escribió Camnitzer en los años ochenta sea "Access to the Mainstream" [El acceso a las corrientes mayoritarias del arte], publicado por primera vez en junio de 1987 en *New Art Examiner*. En este texto, que en la actualidad se ha convertido, irónicamente, en un ensayo canónico, Camnitzer expone sucintamente el proble-

---

3) Camnitzer explica cómo estas organizaciones se fundaron en respuesta a la política de uno de los pocos espacios neoyorquinos que exponía arte latinoamericano en aquella época, el Center for Inter-American Relations (la actual Americas Society). Véase Luis Camnitzer, "Museo Latinoamericano and MICLA", en *A Principality of its Own: 40 Years of Visual Arts at the Americas Society*, ed. José Falconi y Gabriela Rangel, Boston, Harvard University Press, 2007, pp. 216-229.

4) En la lista de colaboradores de *Beyond the Fantastic: Contemporary Art Criticism from Latin America*, ed. Gerardo Mosquera, MIT Press y Londres, Institute for International Visual Arts, 1996, se identifica a Camnitzer como "un artista que escribe sobre arte con regularidad".

José Guillermo Castillo, Liliana Porter y Luis Camnitzer,
Nueva York, 1964. Archivo Luis Camnitzer

ma de la relación de los artistas "coloniales" con el mercado del arte y las instituciones de la corriente mayoritaria en los Estados Unidos (y su integración en ese mercado y en esas instituciones). A este ensayo le siguió "Wonderbread and Spanglish Art", que profundiza aún más en los problemas relacionados con la identidad[5]. Al igual que los múltiples que creó en la época del NYGW, estos dos ensayos se citarían y se reeditarían, se traducirían y se incluirían en varias antologías a lo largo de la década posterior. Aparecieron en el catálogo de la exposición *Luis Camnitzer: Retrospective Exhibition, 1966-1990* que tuvo lugar en el Lehman College en 1991, y también en el libro de Gerardo Mosquera *Beyond the Fantastic: Contemporary Art Criticism from Latin America*, en 1996[6]. En los nueve años que trans-

5) Se publicó por primera vez en 1988 con el título "Latin American Art in the US: Latin or American", en *Convergences/Convergencias: Caribbean, Latin American, and North American*, cat. exp., Lehman College Art Gallery, Bronx, Nueva York, Lehman College Art Gallery, 1988, y se reeditó con el título "Spanglish Art", *Third Text* 5, n° 13, invierno de 1991, pp. 43-48.
6) Mosquera, ed., *Beyond the Fantastic*, pp. 218-223. El artículo se ha reeditado por última vez en Camnitzer, *On Art*, pp. 37-42.

Al finalizar los talleres organizados por Luis Camnitzer en Lucca,
Italia, se montaba una muestra de carteles en sus calles. La imagen
muestra a un pegatinero municipal de la ciudad pegando los
grabados realizados por los participantes del taller del verano
de 1978. Archivo Luis Camnitzer

currieron desde la publicación de "Access to the Mainstream" a su reedición en *Beyond the Fantastic*, Camnitzer se convirtió en una voz destacada y en un defensor del arte latinoamericano en los Estados Unidos.

Fue un momento difícil, pero decisivo para la formación y el desarrollo de este campo académico. Aunque había un puñado de historiadores del arte estadounidenses dedicados a la enseñanza de la historia del arte latinoamericano en el siglo XX, eran muy pocos los que se encontraban verdaderamente capacitados para llevar a cabo proyectos curatoriales (el primer departamento de conservación de arte latinoamericano de un museo estadounidense no se creó hasta 1989)[7]. El arte latinoamericano se había vuelto a poner de moda en los Estados Unidos, algo que no sucedía desde el discreto *boom* que había experimentado en los años sesenta, coincidiendo con la Guerra Fría. La teoría del multiculturalismo estaba en alza, y los estadounidenses, inmersos en una serie de guerras culturales intestinas, habían renovado su enemistad con América Latina. Los años ochenta trajeron una oleada de exposiciones de arte latinoamericano, chicano y latino, pero se presentaron de una manera que llevó a muchos —sobre todo a Shifra Goldman— a "mirarle el diente a caballo regalado", es decir, a criticar los controvertidos motivos políticos y económicos para la integración de una población de artistas que hasta entonces había estado marginada[8]. La "Fridamanía" había alcanzado su máximo apogeo, y también las exposiciones exotizantes, la más notoria de las cuales sería *Art of the Fantastic: Latin America, 1980-1987* (Indianapolis Museum of Art, 1987), que se convertiría en el catalizador de un ensayo homónimo de Mari Carmen Ramírez y de la posterior antología de textos críticos de

7) Jacqueline Barnitz trabajaba como profesora en la University of Texas, en Austin; Shifra Goldman, en el Santa Ana College, y Ramón Favela en la UC Santa Bárbara. Edward Sullivan empezó a impartir seminarios de arte mexicano en el New York University Institute of Fine Arts en 1991. Desde los años cincuenta, la Organization of American States' (OAS) Panamerican Union, que después se convertiría en el Art Museum of the Americas, exhibe y colecciona obras de arte de esta región. Mari Carmen Ramírez, en la Archer M. Huntington Art Gallery de la University of Texas, fue, oficialmente, la primera conservadora de arte latinoamericano de los Estados Unidos, un cargo que empezó a desempeñar en 1989, aunque este museo y esta universidad llevaban mucho tiempo coleccionando arte de las dos Américas. El Museo del Barrio y el Center for Inter-American Relations, que después cambió de nombre para convertirse en la Americas Society, lleva exhibiendo arte latinoamericano desde los años sesenta. Instituciones como el Bronx Museum y el New Museum, también mostraban cierto interés por el arte de esta región. A pesar del trabajo que llevaron a cabo estas instituciones, no se consideraba que la mayoría de ellas formara parte de la corriente dominante, y no formaban un frente unificado.

8) Shifra Goldman, "Latin American Art's U.S. Explosion: Looking at a Gift Horse in the Mouth", *New Art Examiner* 17, nº 4, diciembre de 1989, pp. 25-29.

THE INDEPENDENT VOICE
OF THE VISUAL ARTS
JUNE 1987
$3.00/£2.00

NEW ART
examiner

REVIEW OF **HAVANA BIENNIAL**
NEW LOOK AT **CHICAGO**'S ART INSTITUTE
IRONY RETREATING IN **NEW YORK**?
DEFINING A **BLACK AMERICAN** AESTHETIC
CALL FOR **ARTISTS' MUSEUM** IN SPEAKEASY
INSIDE: NEW ENGLAND ARTIST PAGES

We live the alienating myth of primarily being artists.

We are not. We are primarily ethical beings sifting right from wrong and just from unjust, not only in the realm of the individual, but in communal and regional contexts. In order to survive ethically we need a political awareness that helps us to understand our environment and develop strategies for our actions. Art becomes the instrument of our choice to implement these strategies.
—*Luis Camnitzer, "Access to the mainstream," p. 20.*

Portada de la revista *New Art Examiner*,
junio 1987. Archivo Luis Camnitzer

Gerardo Mosquera[9]. Los intransigentes museos de la corriente mayoritaria (muchos de los cuales han rectificado parcialmente su actitud en la actualidad) rara vez reconocían el valor del arte latinoamericano, no adquirían obras de esta región ni las exponían en sus salas, y cuando lo hacían, las sacaban de contexto y las ubicaban en los lugares más insospechados, como sucedió con *La jungla* de Wilfredo Lam, que se exhibió al lado del guardarropa del antiguo edificio del Museum of Modern Art (MoMA).

Los textos que escribió Camnitzer en los años ochenta y noventa le convirtieron en una voz crítica fundamental para analizar y contrarrestar las complejas relaciones de poder entre el norte y el sur. En "Access to the Mainstream", Camnitzer anima a los artistas a posicionarse y a distanciarse de la destructiva capacidad de asimilación del mercado. En uno de los pasajes más importantes del artículo, escrito desde el punto de vista del artista, explica exactamente lo que significa para él ese tipo de opción ética:

Vivimos el mito alienante de ser artistas antes que nada. No lo somos. Antes que nada somos seres éticos que diferencian el bien del mal, lo justo de lo injusto, no solo en el ámbito de lo individual, sino en contextos comunales y regionales. Con el fin de sobrevivir éticamente necesitamos una conciencia política que nos ayude a comprender nuestro entorno y a desarrollar estrategias de acción. El arte se convierte en el instrumento que elegimos para poner en práctica esas estrategias[10].

Esta declaración tan contundente se extrajo del ensayo y se utilizó como portada de la revista. Camnitzer se sintió halagado (y enmarcó la portada, transformando así sus palabras en una obra de arte), pero también desconcertado, pues no quería que la cita se sacara de contexto y quedara reducida a una herramienta de *marketing*[11]. A los que, en esa

9) Mari Carmen Ramírez, "Beyond 'The Fantastic': Framing Identity in U.S. Exhibitions of Latin American Art", *Art Journal* 51, n.º 4, invierno de 1992, pp. 60-68; reimpreso en *Beyond the Fantastic*, ed. Mosquera, pp. 229-246.
10) Luis Camnitzer, "Access to the Mainstream", *New Art Examiner*, p. 14, julio de 1987, p. 20 [Trad. cast.: "El acceso a las corrientes mayoritarias del arte", *Plástica*, n.º 20, 1991, pp. 39-46].
11) Camnitzer describió esta experiencia en "The Idea of a Moral Imperative in Contemporary Art", ponencia presentada en un encuentro de la College Art Association, San Francisco, 1989, reimpresa en *Luis Camnitzer: Retrospective Exhibition*, ed. Farver, pp. 48-50.

época, aún éramos estudiantes universitarios, las palabras de Camnitzer nos recordaban cuál debía ser el motor que impulsara nuestra labor. Era un grito de guerra que nos sirvió de guía y de estímulo. Camnitzer exigía la desvinculación del mercado y de las instituciones de la corriente dominante y se declaraba partidario de un arte ético y riguroso que favoreciera el cambio cultural.

Estas ideas se llevaron a la práctica en el contexto estadounidense para intentar solucionar los problemas que le parecían importantes a Camnitzer, desde la ruptura de las cadenas que mantenían al grabado relegado a la categoría de arte menor a la ampliación de la noción restringida de un "Arte conceptual" circunscrito a una determinada región geográfica. Su insistencia en el término "conceptualismo" en detrimento de la expresión "Arte conceptual" dio lugar a una importante distinción que vinculaba el arte con una serie de realidades históricas específicas, no con meras versiones de modelos preexistentes. En 1999, junto con sus íntimas amigas y asiduas colaboradoras Jane Farver y Rachel Weiss, Camnitzer organizó la exposición *Global Conceptualism: Points of Origin, 1950s-1980s*. Años después, Farver le pidió que reflexionara sobre los motivos que le habían animado a poner en marcha ese proyecto. Según Camnitzer, su objetivo había sido "descentralizar la historia del arte, transformarla en una suma de historias locales y situar el centro en el lugar que le corresponde, como si tan solo fuera una insignificante provincia más"[12]. Además, era fundamental que estas otras áreas "llevaran a cabo análisis locales que ayudaran a asumir identidades locales sin el hostigamiento de la atalaya del poder hegemónico"[13]. Esta exposición, que hoy en día se considera un hito fundamental, recibió críticas muy duras en su momento, y se llegó a afirmar que representaba "una de las peores reformas del canon"[14]. Camnitzer se esforzó al máximo por derribar los muros que habían levantado sus críticos y por reencauzar los problemáticos métodos de exposición y de interpretación del arte latinoamericano en los Estados Unidos. Sin embargo, sostenía que este nunca había sido su propósito principal: "No me preocupa tanto promocionar

12) Luis Camnitzer, citado en Jane Farver, "Global Conceptualism: Reflections", *Post: Notes on Modern & Contemporary Art Around the Globe*, Museum of Modern Art (MoMA), 29 de abril de 2015, http://post.at.moma.org/content_items/580-global-conceptualism-reflections.
13) Ibíd.
14) James Meyer, "Review: Global Conceptualism: Points of Origin, 1950s-1980s", *Artforum*, 38, n.° 1, septiembre de 1999, p. 162.

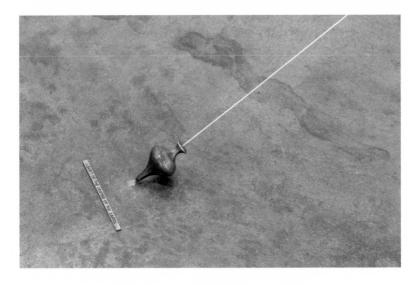

Luis Camnitzer. *The Shift of the Center of the Earth*
[Desfasaje del centro de la tierra], detalle, 1975
Cortesía Alexander Gray Associates, Nueva York

el arte latinoamericano entre no latinoamericanos, sino refinar la visión latinoamericana del arte en general"[15].

"Access to the Mainstream", "Wonderbread and Spanglish Art" y *Global Conceptualism* sirvieron para que Camnitzer se afianzara en la posición de artista ético, crítico cultural y activista curatorial, pero, en cierto modo, la recepción entusiasta, y también negativa, de estas obras ha eclipsado el papel de educador que ha ejercido durante toda su vida. Sus objetivos siempre fueron diferentes y, en cierta medida, más amplios que la *simple* denuncia de la persistencia de las estructuras coloniales o la *simple* creación de un espacio de respeto para el arte latinoamericano en el seno de las instituciones estadounidenses. Un año antes de "Access to the Mainstream", Camnitzer publicó "Art Education in Latin America" en *New Art Examiner*[16]. El ensayo se tradujo y se publicó en la revista de arte puertorriqueña *Plástica* con el título "La educación artística en Latinoamérica

15) *Luis Camnitzer in Conversation with/en conversación con Alexander Alberro*, Nueva York, Fundación Cisneros, 2014, p. 108.
16) Luis Camnitzer, "Art Education in Latin America", *New Art Examiner*, n.º 1, septiembre de 1986, pp. 30-33.

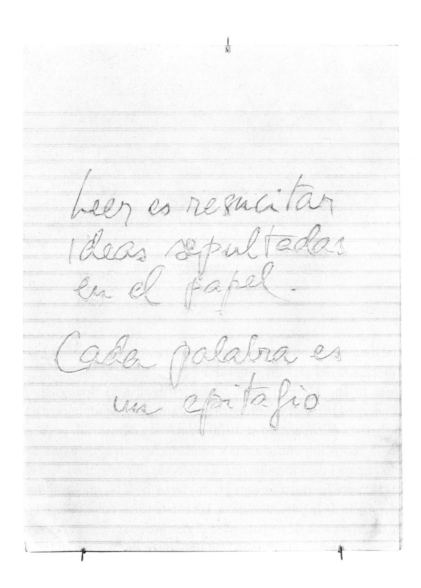

Luis Camnitzer. *Leer es resucitar ideas sepultadas en el papel. Cada palabra es un epitafio*, de la serie *Simón Rodríguez* [To Read Is to Resuscitate Ideas Buried on Paper. Every Word Is an Epitaph, from the Series "Simón Rodríguez"], c. 1993. Cortesía Alexander Gray Associates, Nueva York

trasciende el problema de la identidad cultural"[17]. Fue la única vez que se reimprimió, y por tanto no tuvo una amplia difusión en los Estados Unidos, pero es en este texto donde el artista declaraba su interés por reinventar la educación artística como un medio para el desarrollo y la sostenibilidad de una identidad independiente que se resistiera al colonialismo.

El ensayo comienza con una cita del educador del siglo XIX Simón Rodríguez: "No hay nada tan importante como tener un pueblo; darle forma debería ser la única ocupación de aquellos que se preocupan por las cuestiones sociales"[18]. En los años ochenta, Camnitzer empezó a leer a Rodríguez (conocido, sobre todo, por haber sido el tutor de Simón Bolívar) y la obra de este autor adquirió una importancia fundamental para él por varios motivos: en primer lugar, porque reflejaba las ideas de un educador y escritor innovador y comprometido socialmente; y después, como explicaría el propio Camnitzer, porque Rodríguez había sido un precursor de la vía específica que había seguido el conceptualismo en América Latina[19]. Al final de este texto, Camnitzer señala que la educación artística debe cuestionar los modelos anticuados, importados, y debe "tener lugar en el contexto de un análisis socioeconómico" para provocar un cambio en la cultura imperante, una idea que hunde sus raíces en su propia experiencia como estudiante en el contexto de la reforma educativa del Uruguay de los años cincuenta y como profesor en este mismo país a principios de los sesenta.

En "Screaming in a Room Full of Jello", una ponencia que presentó en 1990, Camnitzer describía su formación educativa en los siguientes términos:

En mis años de estudiante en Uruguay, en la Escuela de Bellas Artes, intentamos llevar a cabo una reforma radical de nuestro plan de estudios aplicando nuestras ideas éticas y políticas. Pensábamos que la pedagogía no tenía sentido sin ese fundamento. El credo que

---

17) *Plástica* también publicaría "Access to the Mainstream": "El acceso a las corrientes mayoritarias del arte / Luis Camnitzer", *Plástica*, n.º 20, 1991, pp. 39-46.

18) Luis Camnitzer, "La educación artística en Latinoamérica trasciende el problema de la identidad cultural", *Plástica*, n.º 17, septiembre de 1987, p. 29.

19) Más adelante, Camnitzer utilizaría la obra de Simón Rodríguez para demostrar que el origen del conceptualismo en América Latina se remontaba al siglo XIX. Véase Luis Camnitzer, *Conceptualism in Latin America: Didactics of Liberation*, Austin, University of Texas Press, 2007.

se impuso era que no teníamos derecho a producir arte hasta que no consiguiéramos que todo el mundo pudiera ejercer este derecho[20].

En un pasaje posterior de este mismo ensayo definía dos procedimientos fundamentales que podían adoptar los artistas para escapar de la "red social que envuelve la actividad artística y se apodera de ella", estrategias que a su juicio constituían los elementos básicos de la "buena enseñanza", basándose en el afán de integración radical y el compromiso con la comunidad que defendía Rodríguez:

Uno consiste en empezar a expresar nuestras comunidades y en ayudar a expresarse a sus miembros, en lugar de centrarnos en el mercado. El otro, en convertirnos en ejemplos individuales, modelos de integridad a seguir [...] ambas estrategias se encuentran muy próximas a lo que yo considero que debe ser una buena enseñanza[21].

En Estados Unidos había un puñado de críticos, conservadores e historiadores del arte especializados en arte latinoamericano que querían cambiar la forma en que se exhibía y se enseñaba el arte de esta región, pero Camnitzer quería cambiar nuestra manera de enseñar y de aprender tanto en los EE. UU. como en América Latina. Y para él, la buena enseñanza siempre era sinónimo de buen arte.

Camnitzer ha declarado que primero se convirtió en activista, luego trabajó como profesor, y fue después cuando empezó a tomar conciencia de su labor como artista[22]. Quizá reconocía que seguir ese orden había resultado beneficioso para su desarrollo:

Enseñaba grabado a través de la deconstrucción del proceso. Hacíamos panqueques en la plancha caliente para compararlos con el fundido de resina de colofonia usada para hacer aguatintas, y luego ¡hacíamos una fiesta! Pronto me di cuenta de que estaba plantean-

20) Luis Camnitzer, "Screaming in a Room Full of Jello", ponencia presentada en el Mountain Lake Symposium, Virginia, 1990. Transcripción en el Blanton Museum of Art Archives, Registrar's Office, Artist Files.
21) Ibíd.
22) Luis Camnitzer, entrevista con la autora a través de Skype, 29 de enero de 2018.

Luis Camnitzer, José Guillermo Castillo y Liliana Porter
Galleta manifiesto [Manifesto Cookie], 1966.
Cortesía Ursula Davila-Villa

do problemas para ser resueltos, lo cual en cierto modo fue la base de mi futuro acercamiento al conceptualismo[23].

Este planteamiento de la enseñanza creativa y de la solución de problemas no solo sentaría las bases de su metodología conceptualista, sino que ya era, además, una forma de arte. Y no sería la última vez que Camnitzer "cocinara" arte. En diciembre de 1966, el New York Graphic Workshop envió a sus amigos, familiares y a algunas personas relacionadas con el mundo del arte una obra artística a modo de tarjeta de Navidad. La pieza era una galleta que se había elaborado utilizando como molde un grabado en madera y venía acompañada por un manifiesto fotocopiado en el que se describía la nueva definición de múltiple que había acuñado el grupo, un tipo de obra denominada FANDSO o "Free Assemblage Nonfunctional

23) *Luis Camnitzer in Conversation*, p. 42.

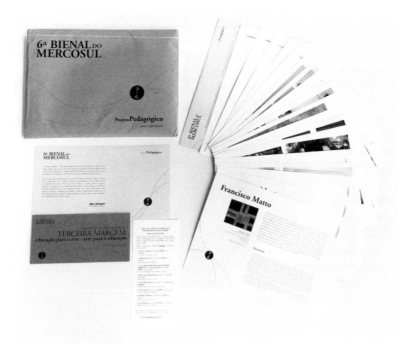

Proyecto pedagógico para profesores, realizado por Luis Camnitzer en colaboración
con el equipo de la 6ª Bienal del Mercosur para la exposición *La Tercera Orilla del Río*,
curada por Gabriel Perez-Barreiro, publicado por la Bienal del Mercosur, 2007.
Cortesía Ursula Davila-Villa

Disposable Serial Object" [Objeto seriado, prescindible, afuncional, libremente intercambiable]. En el manifiesto que se incluía en el paquete se afirmaba que "la producción masiva de FANDSO brindará a todo el mundo la oportunidad de desarrollar su propia creatividad y contribuirá a suprimir la diferencia entre el artista y los consumidores. Hacia un arte total"[24]. La galleta ilustraba a la perfección la intención del grupo: sacar el máximo partido del potencial político y social que poseía el múltiple (en comparación con el grabado plano sobre papel) fuera del mercado. El deseo de desmitificar el arte y educar y transformar a sus consumidores se afinaría aún más en la exposición *Towards FANDSO* que tuvo lugar en octubre de 1967 en el Pratt Center for Contemporary Printmaking:

24) Gabriel Pérez-Barreiro, Ursula Davila-Villa y Gina McDaniel Tarver, eds., *The New York Graphic Workshop, 1964-1970*, cat. exp., Blanton Museum of Art, Austin, Blanton Museum of Art, p. 88.

Creemos que con el tiempo toda actividad estética dejará de destinarse a la creación de objetos y se acabará convirtiendo en una actividad cotidiana más. Tradicionalmente, el valor de un objeto artístico siempre ha residido en su forma definitiva, no en el proceso creativo. Creemos que la función de un artista no consiste en producir objetos sino en difundir el propio proceso artístico: en transformar a los consumidores actuales en individuos creativos[25].

Las inquietudes de Camnitzer habían encontrado su plataforma de expresión ideal en las clases, las declaraciones escritas, las obras de arte y las exposiciones del NYGW. Su práctica pedagógica, en la que se incluyen sus escritos, se fundió con su producción artística.

Cuarenta años después, en 2007, le ofrecieron el cargo de "Comisario pedagógico" de la sexta edición de la Bienal de Mercosul. Desde esa posición pudo acceder a un foro nuevo e importante donde concretar sus ideas sobre la democratización de la educación y del arte e insistir en la necesidad de unificar estas dos prácticas. La ponencia que leyó Camnitzer con ocasión del simposio para artistas y educadores de la bienal comienza así: "En algún momento desafortunado de la historia, algún filisteo o algún grupo de filisteos que ocupaba una posición de poder decidió aislar el arte de la educación"[26]. Como ya había hecho en sus escritos del NYGW, en este texto Camnitzer afirma que esta divergencia debe superarse mediante la expansión y la integración, y propone algunas vías para favorecer el diálogo creativo y fomentar el desarrollo de lo que más adelante definiría como "Art Thinking" [Pensamiento artístico][27]. Su visión se fundamenta en la insistencia en que el arte es un medio para la creación de conocimiento:

[El] equipo curatorial de la Bienal ha rediseñado la estructura para subrayar la relación entre el artista y el público, para incorporar al visitante al proceso creativo del artista y preparar al consumidor

25) Ibíd., p. 90.
26) Luis Camnitzer, "Introduction to the Symposium 'Art as Education/Education as Art'", en Camnitzer, On Art, p. 230. Ponencia presentada por primera vez en Porto Alegre, Brasil, en 2007, en la inauguración del simposio internacional de artistas y educadores que se celebró coincidiendo con la sexta edición de la Bienal de Mercosul.
27) Luis Camnitzer, "Thinking About Art Thinking", en "Supercommunity", e-flux journal #65, mayo de 2015, http://supercommunity.e-flux.com/texts/thinking-about-art-thinking/.

para que se convierta en creador [...] en otras palabras, para reivindicar el arte como metodología para el conocimiento. Queríamos que la Bienal no hiciera hincapié en la inteligencia del artista, sino que estimulara la inteligencia de los visitantes[28].

Los programas que había desarrollado en la Bienal de Mercosul se perfeccionarían aún más en el transcurso de su colaboración con la Colección Cisneros y el programa "Piensa en arte/Think Art" (2009-2012), y gracias a la exposición *Under the Same Sun: Art from Latin America Today*, que tuvo lugar en el Guggenheim de Nueva York en 2014.

En colaboración con María del Carmen González y Sofía Quirós (sus antiguas compañeras en la Colección Cisneros), Camnitzer creó una guía para maestros para la exposición del Guggenheim[29]. El programa que concibieron pretendía "establecer formas de pensar afines a las de los artistas y ayudar a evitar el riesgo de restringir la investigación solo a las ideas y formas presentadas directamente por los artistas y sus obras", y crear además "una relación de colegas entre los artistas y los participantes, que permita que *ambos* se involucren activamente en el proceso artístico"[30]. La guía para maestros se dividía en diferentes secciones con ejercicios de solución de problemas, acompañados de preguntas concebidas para suscitar más un debate *en torno* a unas obras de arte determinadas que un análisis directo de las piezas en cuestión. Esas preguntas se plantearían después a los alumnos, antes incluso de que contemplaran las obras artísticas, para ver si eran capaces de concebir obras (artísticas o pertenecientes a cualquier otra disciplina) que sirvieran para solucionar problemas similares, animándolos a pensar como artistas. Después se les mostrarían las soluciones que habían elegido los artistas para resolver esos mismos problemas y se analizarían las diferencias.

---

28) Camnitzer, "Introduction to the Symposium...", p. 230.

29) En 2009 Camnitzer concibió el proyecto *The Museum is a School* [El museo es una escuela] como una instalación específica de textos en las fachadas de los edificios de los museos: "El museo es una escuela. El artista aprende a comunicarse con el público, el público aprende a hacer conexiones". Con motivo de la exposición del Guggenheim *Under the Same Sun*, Camnitzer donó al museo la maqueta del proyecto —en la que se podían leer la frase anterior estampada en la emblemática pirámide invertida curvilínea de Frank Lloyd Wright— como un homenaje a Simón Rodríguez.

30) Luis Camnitzer con María del Carmen González y Sofía Quirós, *Teacher's Guide for "Under the Same Sun. Art from Latin America Today"*, Nueva York, Guggenheim Museum Publications, 2014, p. 5 [Trad. cast.: *Guía para maestros*, Guggenheim Museum Publications, 2014].

La última página de la guía para maestros consta de una serie de preguntas en inglés y en español, ordenadas en una cuadrícula. El formato y la apariencia (elegidos por el diseñador gráfico de la guía, en contra de lo que podría parecer) recuerdan a los de una de las primeras obras conceptualistas de Camnitzer, *Sentences. Adhesive Labels* (1966-1967), basada en la capacidad del lenguaje para evocar imágenes poéticas en la mente del lector; por ejemplo: "Un horizonte perfectamente circular." "Pensaba que la descripción verbal de una situación visual", había declarado Camnitzer en 1977, a propósito de esas obras, "activaría la creatividad del espectador mejor que la propia situación visual. Los textos, además, tienen la ventaja de ser más baratos y menos totalitarios"[31]. A pesar de su afinidad visual y conceptual, las preguntas de la guía para maestros son aún más indefinidas que las de las *Sentences* adhesivas. "¿Cómo hacer que la gente tome conciencia de las injusticias sociales e incitarla a la acción? ¿Cuál sería el efecto si la poesía impregnara todos los sistemas de información?" Estas dos preguntas ocupan un lugar fundamental en la producción multifacética de Camnitzer.

Para las personas que también nos encontrábamos en los márgenes del centro intentando construir la disciplina de la historia del arte latinoamericano en los Estados Unidos, Camnitzer fue una voz fundamental que nos ayudó a comprender los problemas, los peligros y la importancia política de nuestra tarea. Sus escritos contribuyeron a modelar un campo que estaba empezando a tomar forma en pequeños focos de resistencia y en lugares tan insólitos como Austin, Texas. Cualquier lugar, incluso el más recóndito, puede ser el centro del universo. Y lo más importante es que a través de su práctica heterogénea, Camnitzer nos ha incitado a la acción y nunca ha dejado de inventar nuevas maneras de comunicar y de conceder poder a los que se encuentran en los márgenes, de reconfigurar y perfeccionar la definición de artista, escritor, educador y miembro de una comunidad. Su ejemplo es un desafío que nos anima a pensar como artistas y a inventar nuestras propias recetas de concienciación y de cambio.

---

31) Camnitzer, "Wonderbread and Spanglish Art", en *Beyond the Fantastic*, ed. Mosquera, p. 163.

92

HOSPICIO
DE UTOPÍAS
FALLIDAS —
— LUIS
CAMNITZER

This Is a Mirror, You Are a Written Sentence
[Este es un espejo, tú eres una frase escrita], 1966-1968

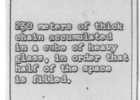

Sentences [Frases], 1966

Envelope [Sobre], 1967

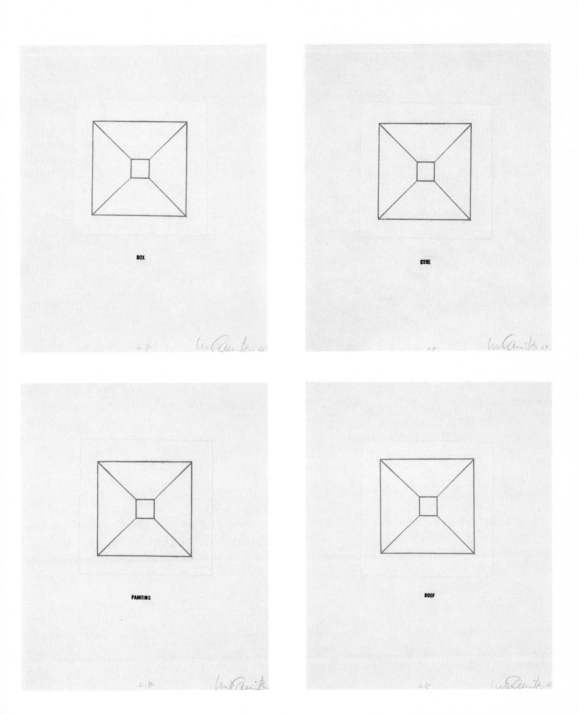

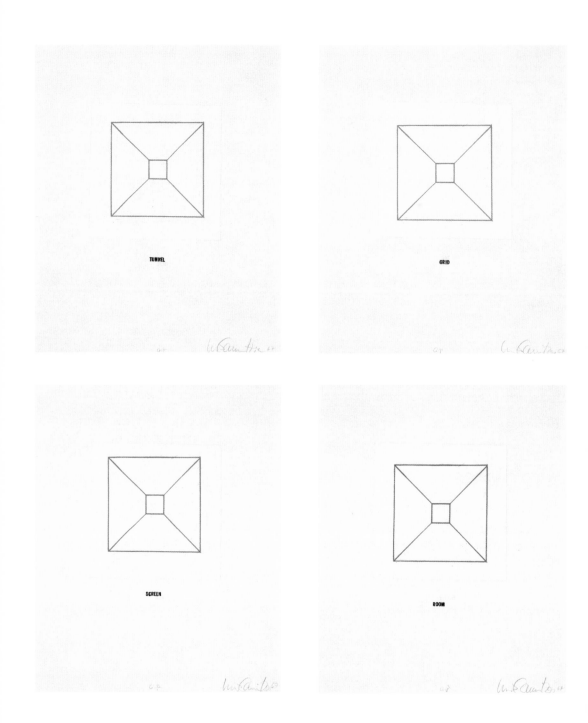

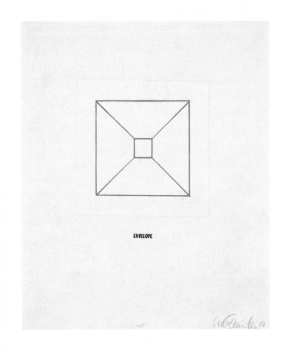

ENVELOPE

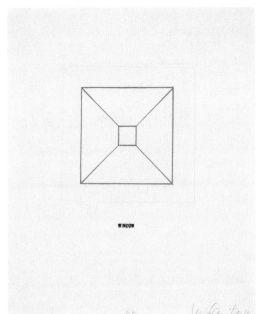

WINDOW

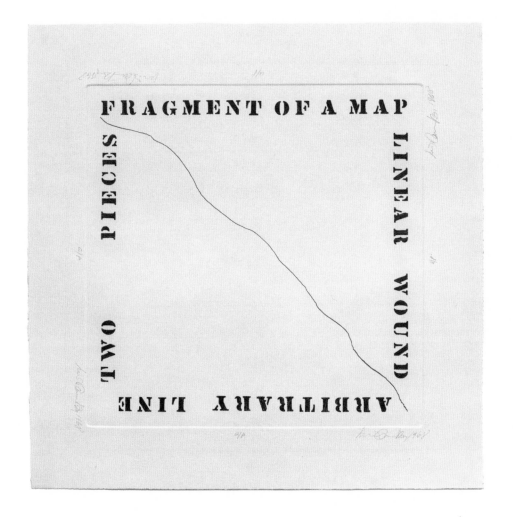

Fragment of a Map
[Fragmento de un mapa], 1968

Selfportrait 1968
[Autorretrato 1968], 1968

Selfportrait 1969
[Autorretrato 1969], 1969

LUIS CAMNITZER

SELFPORTRAIT   1970

Selfportrait 1970
[Autorretrato 1970], 1970

LUIS CAMNITZER

SELFPORTRAIT 1971

2/10

Selfportrait 1971
[Autorretrato 1971], 1971

Selfportrait 1972
[Autorretrato 1972], 1972

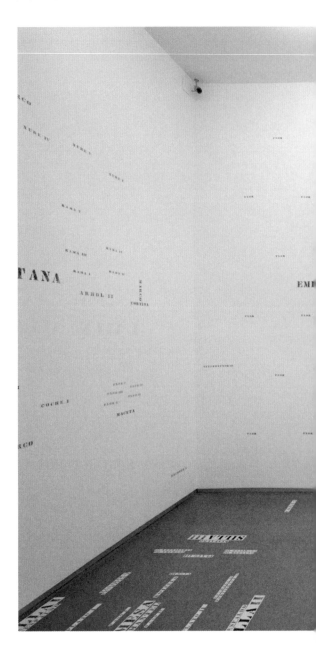

Living Room
[Sala comedor], 1969/2018

Leftovers
[Restos], 1970

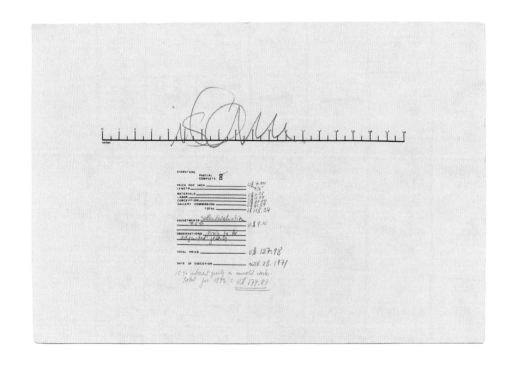

Signature by the Inch
[Firma por pulgada], 1973

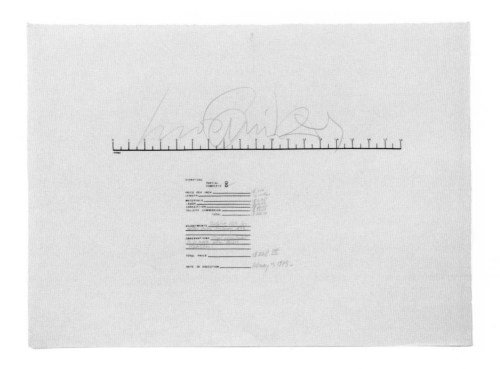

Signature by the Inch
[Firma por pulgada], 1973

This Is a Mirror, You Are a Written Sentence
[Este es un espejo, tú eres una frase escrita], 1966-1975

The Expressive Power of a Dot
[El poder expresivo de un punto], 1969-1975

The Expressive Power of a Line
[El poder expresivo de una línea], 1971-1974

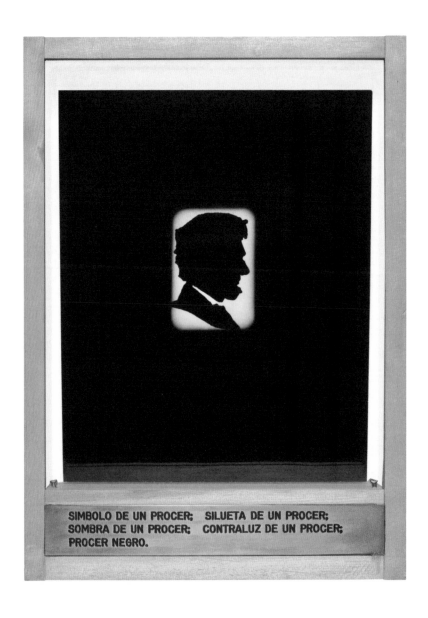

*Símbolo de un prócer; silueta de un prócer; sombra
de un prócer; contraluz de un prócer; prócer negro*
[Symbol of a Worthy Man; Silhouette of a Worthy Man;
Shadow of a Worthy Man; Backlight of a Worthy Man;
Worthy Black Man], 1973-1974

Prototype of a Man
[Prototipo de un hombre], 1971-1974

Shift of the Center of the Earth
[Desfasaje del centro de la tierra],
1971-1974

Object Covered by Its Own Image (Photograph Redrawn with Pencil, Tempera and Ink); Accumulation of Errors (Image Created by the Discrepancy between the Original and the Superimposed Manual Work) [Objeto cubierto por su propia imagen (Fotografía redibujada con lápiz, témpera y tinta); acumulación de errores (imagen creada por la discrepancia entre el original y el trabajo manual superpuesto)], 1971-1974

FORMA DETERMINADA POR LA CONEXION DE LOS
PUNTOS EXTERNOS DEL TEXTO DESCRIBIENDO
LA FORMA.

Forma determinada por la conexión de los
puntos externos del texto describiendo la forma
[Shape Determined by the Connection of the External
Points of the Text Describing the Shape], 1972-1974

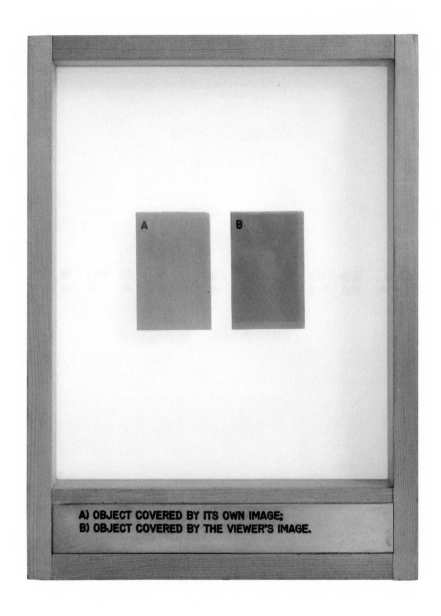

*A) Object Covered by Its Own Image; B) Object
Covered by the Viewer's Image* [A) Objeto cubierto
por su propia imagen; B) Objeto cubierto por la
imagen del espectador], 1971-1974

Absent Line [Línea ausente], 1971-1975

Telescope [Telescopio], 1967-1975

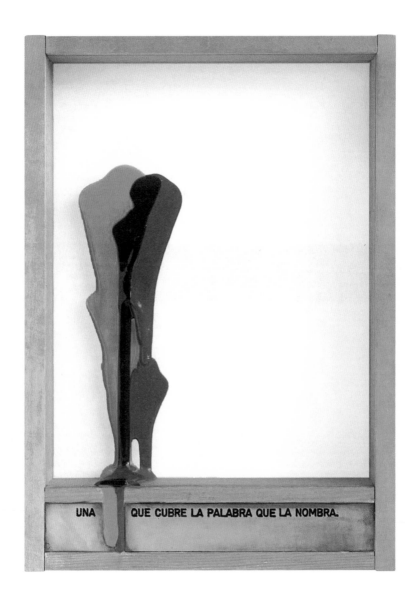

Una (...) que cubre la palabra que la nombra
[One … That Covers the Word That It Names], 1973-1976

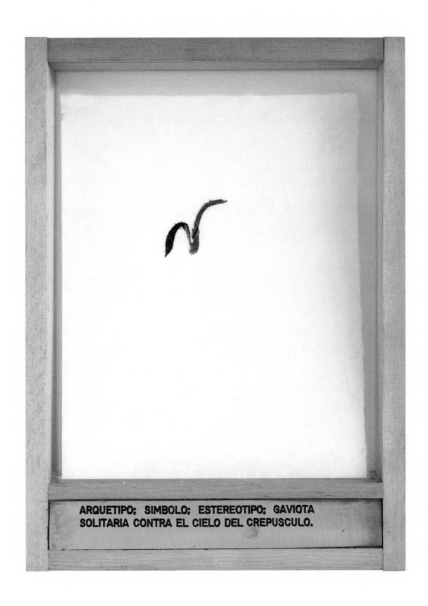

*Arquetipo; símbolo; estereotipo; gaviota solitaria
contra el cielo del crepúsculo* [Archetype; Symbol;
Stereotype; Lonely Seagull Against Twilight Sky], 1974

Postage Stamp
[Estampilla postal], 1973

Rainbowed Statement
[Frase arcoirisada], 1973-1975

Distance Representing a Time Difference of 0.00058504269 Seconds Between East and West (New York City) [Distancia que representa una diferencia de tiempo de 0.00058504269 segundos entre este y oeste (ciudad de Nueva York)], 1973-1975

Span of the Hand as a Unit of Lineal Measure Converted to One Inch [Palma de la mano como una unidad de medida lineal convertida a una pulgada], 1973-1975

*Alteration of the Universe by Transference of Lead
from Pencil to Paper* [Alteración del universo por
transferencia de la mina del lápiz al papel], 1971-1974

Dibujo a lápiz sobre goma de borrar; dibujo imborrable;
objeto envuelto en un dibujo [Drawing on Eraser; Indelible
Drawing; Object Wrapped in a Drawing], 1974

THE FORM GENERATING THE CONTENT.

The Form Generating the Content
[La forma generando el contenido], 1973-1977

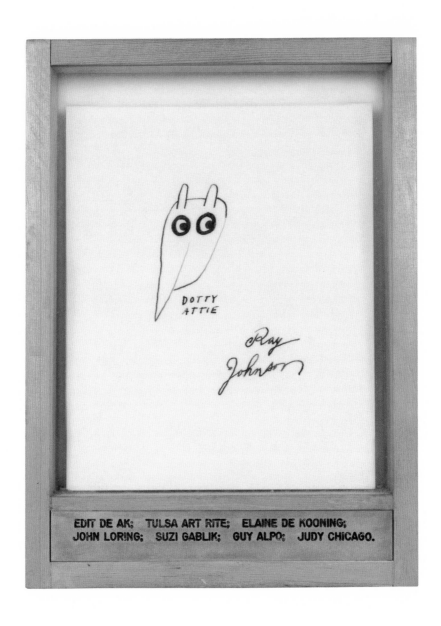

Ray Johnson's Dotty Attie
[Dotty Attie de Ray Johnson], 1974

*Piece of Glass or Plastic on a Sheet of Glass
or Plastic* [Pedazo de vidrio o plástico sobre
una hoja de vidrio o plástico], 1974

Ocurrencia o idea
[Occurrence or Idea], 1974-1976

*Lens or Place of Transition of the Objects Toward
Their Images* [Lente o lugar de transición
de los objetos en dirección a sus imágenes], 1975

Casa; hogar
[House; Home], 1973-1976

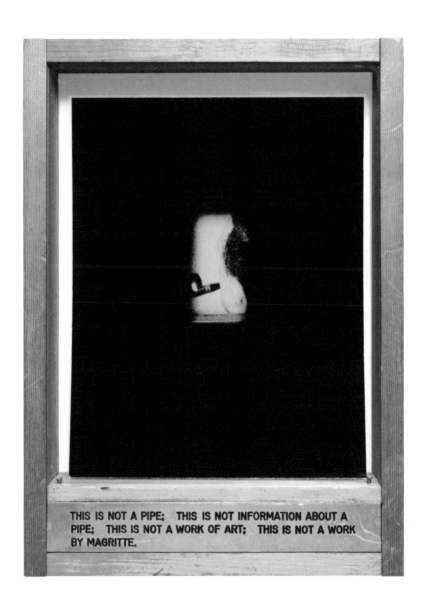

This Is Not a Pipe; This Is Not Information about a Pipe;
This Is Not a Work of Art; This Is Not a Work by Magritte
[Esto no es una pipa; esto no es información sobre una pipa; esto
no es una obra de arte; esto no es una obra de arte de Magritte], 1974

Esto no es una pipa; esto no es información sobre una pipa;
esto no es una obra de arte; esto no es una obra de arte de Magritte
[This Is Not a Pipe; This Is Not Information about a Pipe;
This Is Not a Work of Art; This Is Not a Work by Magritte], 1974

*Fragments Resulting from Between One to
Three Corpses; Portrait* [Fragmentos resultantes
de entre uno y tres cadáveres; retrato], 1974

John y Lillian, 1974

Border Between the Above and the Below
[Frontera entre arriba y abajo], 1974

*Real Edge of the Line That Divides Reality from
Fiction* [El borde real de la línea que separa la
realidad de la ficción], 1974-1975

Woman Looking (at: an Apple, an Accident Through the Window, Her Drying Fingernails, a Pornographic Magazine, an Embroided Pillow, a Screaming Crowd, a Grease Spot on a Checkered Tablecloth, a Telephone Ringing, Eisenstein's Face for Approval [Una mujer mirando (a: una manzana, un accidente por la ventana, sus uñas secándose, una revista pornográfica, una almohada bordada, una multitud gritando, una mancha de grasa en un mantel a cuadros, un teléfono sonando, la cara de Eisenstein para su aprobación], 1974

*Aguafuerte de Picasso "Modelo y escultura surrealista" serie Vollard
N. 74, 1933 convertido en una sola línea, en un hilo, en una espiral,
en su precisa longitud (cms. 813)* ["Model and Surrealist Sculpture"
Vollard Series N. 74, 1933, Etching by Picasso, Converted into One Single
Line, One Thread, One Spiral, in Its Precise Length (813 cm)], 1975

Pencil Drawing Done after L. Cranach's "Pythagoras as Discoverer of the Musical Intervals" and Erased from the Paper [Dibujo a lápiz según "Pitágoras como descubridor de los intervalos musicales" de L. Cranach, borrado del papel], 1974-1975

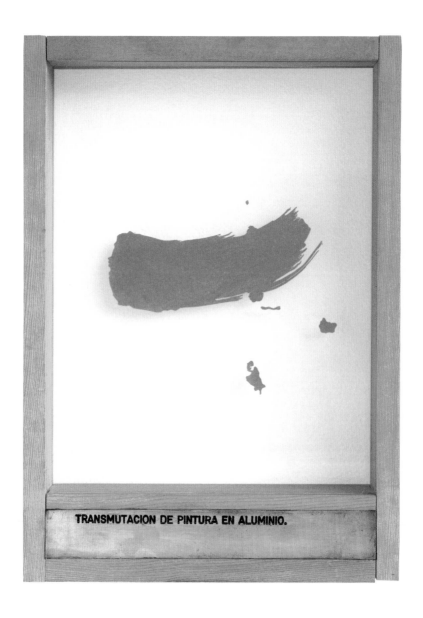

Transmutación de pintura en aluminio
[Transmutation of Painting into Aluminum], 1976

POSIBLES AUTORRETRATOS SEGUN CONDICIONES GENETICAS IDENTICAS (ESTUDIO PARA LA EVENTUAL CONSTRUCCION DE UNA RAZA).

Posibles autorretratos según condiciones genéticas idénticas (estudio para la eventual construcción de una raza) [Possible Self-Portraits According to Identical Genetic Conditions (Study for the Eventual Construction of a Race)], 1976

The Reason of Alchemy
[La razón de la alquimia], 1977

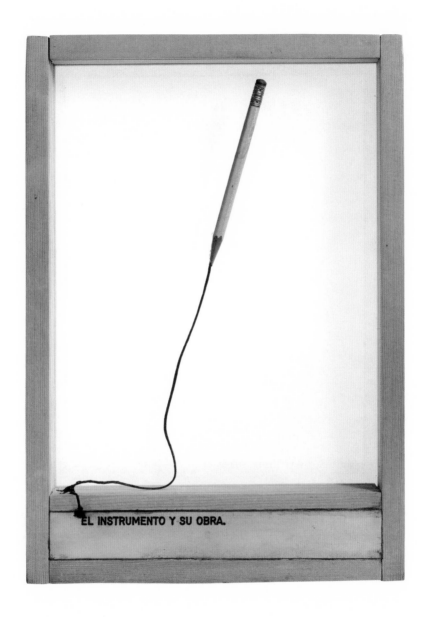

El instrumento y su obra
[The Tool and Its Work], 1976

THE PERCEPTION OF ONESELF.

The Perception of Oneself
[La percepción de uno mismo], 1977-1980

*To Luis Camnitzer from Luis Camnitzer with Admiration
and Affection* [Para Luis Camnitzer de Luis Camnitzer
con admiración y afecto], 1977-1980

Victim's View Found on the Altar of Sacrifices at Teotihuacan [Vista de la víctima encontrada en el Altar de Sacrificios en Teotihuacan], 1978

Fragment of a Mountain; Projectile; Object Resembling a Stone;
Pre-Columbian Leftover Found in N.Y., 1973; Construction
Element; Stone [Fragmento de una montaña; proyectil; objeto
que se asemeja a una piedra; resto precolombino encontrado
en N.Y., 1973; elemento de construcción; piedra], 1973-1976

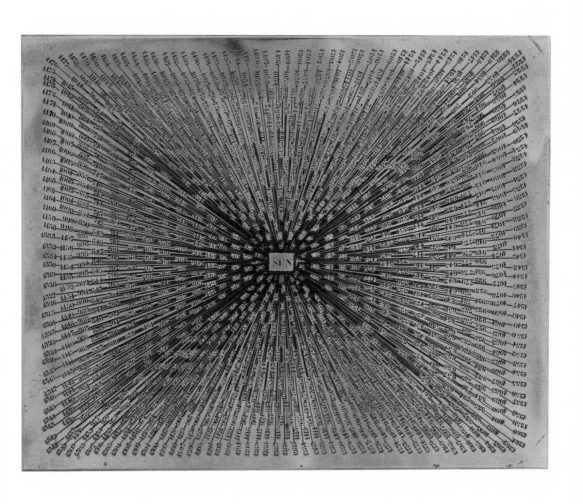

Sun [Sol], 1975-1978

From *Uruguayan Torture Series*
[De la "Serie Tortura Uruguaya"],
1983-1984

p. 161: *They Worked Through the Night* [Trabajaron toda la noche] /
p. 162: *He Practiced Every Day* [Practicaba todos los días] /
p. 163: *Memory Spurted Against His Silence* [La memoria chorreó
contra su silencio] / p. 164: *The Weight Drove His Pulse into the Wall*
[El peso incrustó su pulso en la pared] / p. 165: *The Tool Pleased Him*
[El instrumento le placía] / p. 166: *Her Fragrance Lingered on*
[Su fragancia persistió] / p. 167: *Gradually the Tune Became a Razor*
[Gradualmente la tonada se convirtió en navaja] / p. 168: *He Feared
Thirst* [Temía la sed] / p. 169: *Measuring Helped Him Appropriate the
Space* [Medir le ayudó apropiarse del espacio] / p. 170: *The Straddling
Echoed in Dream* [Las horcajadas resonaron en sueño] / p. 171: *He
Worked with Forbidden Symbols* [Trabajó con símbolos prohibidos] /
p. 172: *He Was Losing His Will to Clarify* [Perdía su voluntad de
aclarar] / p. 173: *The Damage Appeased Him* [El daño lo calmó] /
p. 174: *Untitled* [Sin título] / p. 175: *I Was Unable to...* [Fui incapaz de...]

They worked through the night.

9/15

Memory spurted against his silence.

9/15

The weight drove his pulse into the wall.

9/15

The tool pleased him ~

9/15   Camnitzer 83

Gradually the tune became a razor.

9/15   W Camnitzer 83

He feared thirst.

9/15

Measuring helped him appropriate the space.

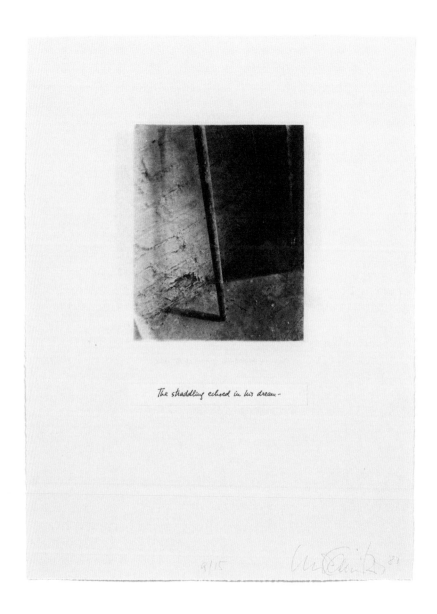

The straddling echoed in his dream -

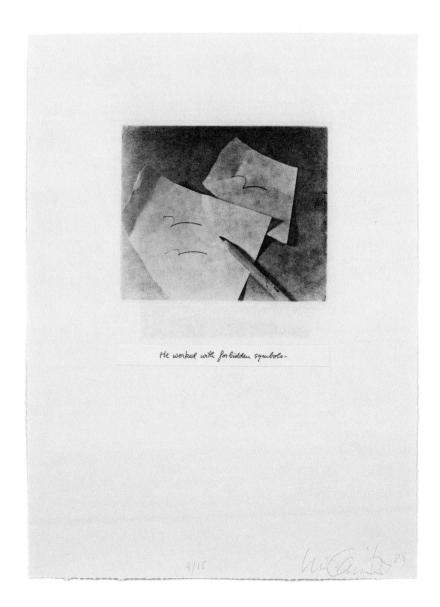

He worked with forbidden symbols.

9/15

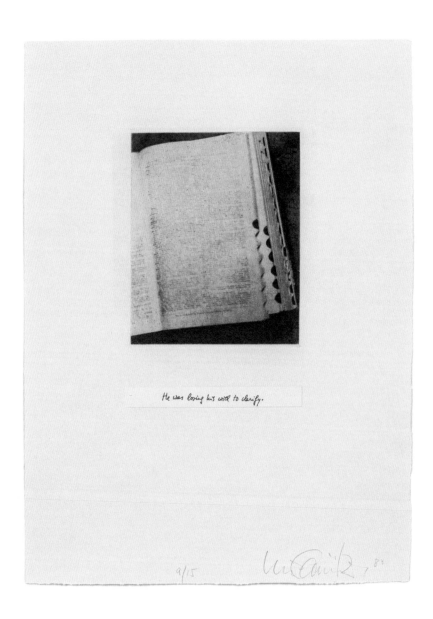

He was losing his will to clarify.

9/15

The damage appeased him.

9/15

9/15

9/15

They Found That Reality Had Intruded Upon the Image,
from the series *Venice Project* [Se dieron cuenta de
que la realidad se había inmiscuido en la realidad,
de la serie "Proyecto Venecia"], 1987

Any Image Was to be Cherished Under the Circumstances, from
the series *Venice Project* [Cualquier imagen tenía que ser apreciada
dadas las circunstancias, de la serie "Proyecto Venecia"], 1986

Objects Were Covered by Their Own Image,
from the series *Venice Project* [Objetos cubiertos por su
propia imagen, de la serie "Proyecto Venecia"], 1986

He Had Organized Things As He Perceived Them, from the series *Venice Project* [Él había organizado las cosas tal como las percibía, de la serie "Proyecto Venecia"], 1987

He Had Offered It, Though Without Expectation,
from the series *Venice Project* [Lo había ofrecido sin
expectativa, de la serie "Proyecto Venecia"], 1987

Portrait of the Artist
[Retrato del artista], 1991

Vista de la instalación de *Los San Patricios*
[The San Patricios] en la Archer M. Huntington
Gallery, The University of Texas at Austin
(actualmente The Blanton Museum), 1992

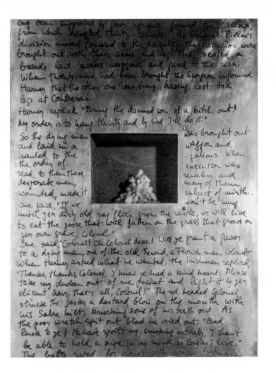

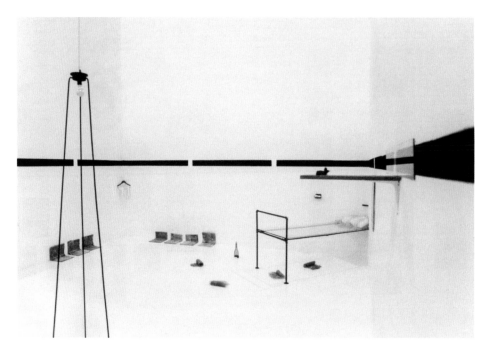

El Mirador [The Observatory], 1996

Tratado sobre el paisaje
[Treaty on Landscape], 1996

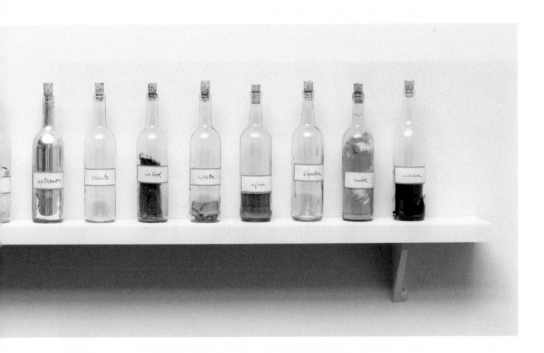

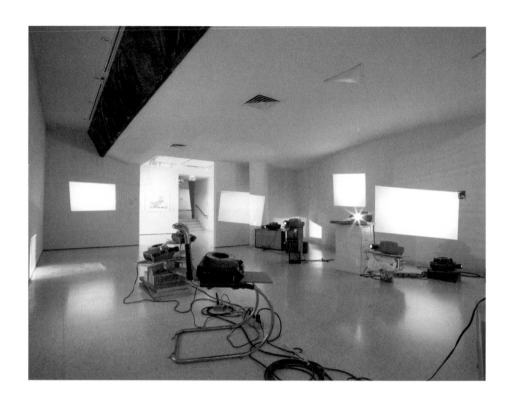

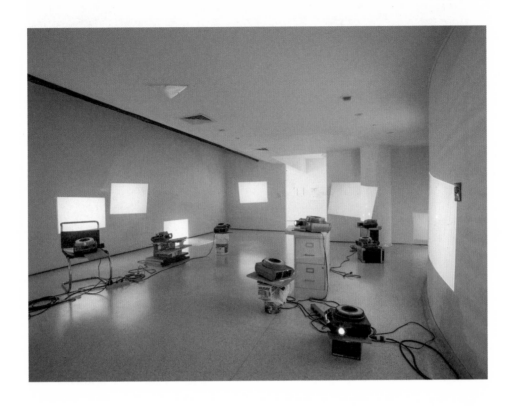

Lección de historia del arte, lección n.º 1
[Art History Lesson, Lesson No. 1], 2000

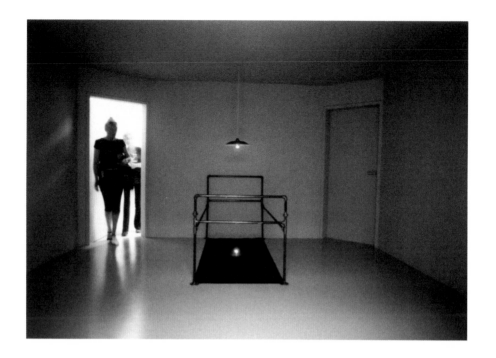

Documenta Project
[Proyecto Documenta], 2002

El aula [The Classroom], 2005

Last Words [Últimas palabras], 2008

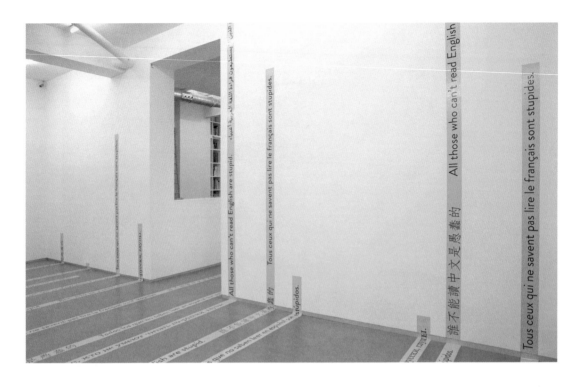

Insultos [Insults], 2009

Memorial, 2009

Crimen perfecto
[Perfect Crime], 2010

Radios infinitos, de la serie *Cuaderno de ejercicios* [Infinite Rays, from the series "Assignments Book"], 2011/2017

Declaración poética, de la serie *Cuaderno
de ejercicios* [Poetic Declaration, from the series
"Assignments Book"], 2011/2017

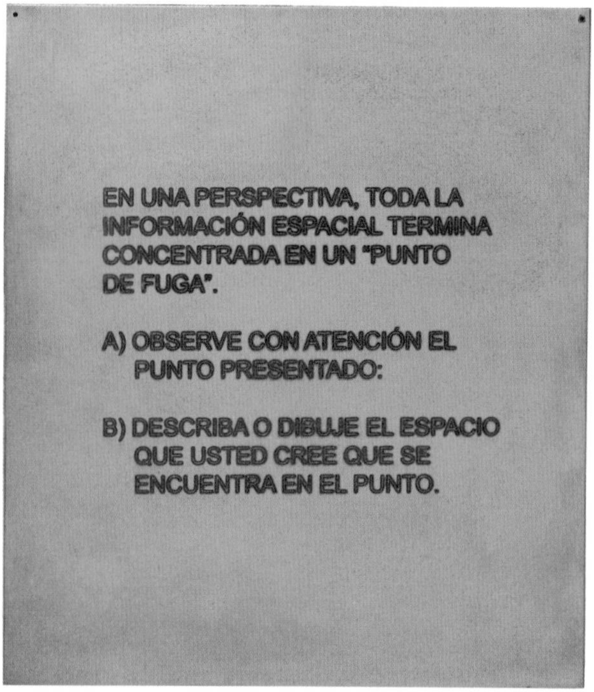

EN UNA PERSPECTIVA, TODA LA
INFORMACIÓN ESPACIAL TERMINA
CONCENTRADA EN UN "PUNTO
DE FUGA".

A) OBSERVE CON ATENCIÓN EL
   PUNTO PRESENTADO:

B) DESCRIBA O DIBUJE EL ESPACIO
   QUE USTED CREE QUE SE
   ENCUENTRA EN EL PUNTO.

Punto de fuga, de la serie *Cuaderno
de ejercicios* [Vanishing Point, from the
series "Assignments Book"], 2011/2017

Sólido, líquido y gaseoso, de la serie
Cuaderno de ejercicios [Solid, Liquid, Gas,
from the series "Assignments Book"], 2011/2017

Infelicidad y felicidad, de la serie *Cuaderno de ejercicios* [Unhappiness and Happiness, from the series "Assignments Book"], 2011/2017

UN SIGNO DE INTERROGACIÓN
CONVIERTE LA PALABRA QUE LO
ANTECEDE EN UNA PREGUNTA.

DISEÑE UN NUEVO SIGNO
TIPOGRÁFICO CAPAZ DE ALTERAR
LA LECTURA DE UNA PALABRA.

Signo tipográfico, de la serie *Cuaderno de ejercicios* [Typographic Sign, from the series "Assignments Book"], 2011/2017

SE DA POR TANTO
EN CIERTO MODO
UNA PROPORCIÓN CONSTANTE
ENTRE LA MAGNITUD ABSOLUTA
DE LA FUERZA
Y AQUELLOS ESPACIOS
QUE ESA FUERZA PUEDE OCUPAR.

De la guerra [About War],
2016-2018

Utopías fallidas [Failed Utopias],
2010/2018

IGLESIA ECUMÉNICA DEL CINISMO ÉTICO

GEDONISTAS UNIDOS
(Por un Armagedón sin armas)

CAMPAÑA POR LA
NACIONALIZACIÓN
DE GOBIERNOS

CHOVINISTAS
CONTRA FRONTERAS

SOCIEDAD DE VENGADORES
PREVENTIVOS

SOCIEDAD DE SOCIÓPATAS
INHIBIDOS

TALLER DE LUBRICACIÓN
DE PARADIGMAS

HOSPICIO DE UTOPÍAS FALLIDAS

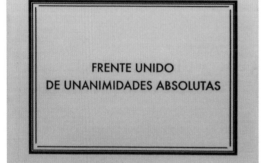

FRENTE UNIDO
DE UNANIMIDADES ABSOLUTAS

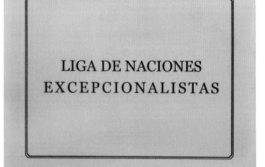

LIGA DE NACIONES
EXCEPCIONALISTAS

LIGA AMERICANA
POR UN RORSCHACH
SIN PORNOGRAFÍA

HIPÓCRITAS EN NEGACIÓN

LISTADO DE
OBRAS EN
EXPOSICIÓN

P. 95

Sentences [Frases], 1966
Acero [Steel]
5,1 x 5,1 x 5,1 cm
Tate: presentado por el
Latin American Acquisitions
Committee 2004

P. 115

*This Is a Mirror, You Are a
Written Sentence* [Este es
un espejo, tú eres una frase
escrita], 1966–1975
Caja de madera y vidrio con
materiales diversos [Wood and
glass box with mixed media]
31,1 x 24,7 x 5,1 cm
Cortesía de Luis Camnitzer;
Alexander Gray Associates,
Nueva York; Parra & Romero,
Madrid e Ibiza

P. 93

*This Is a Mirror, You Are a
Written Sentence* [Este es
un espejo, tú eres una frase
escrita], 1966–1968
Poliestireno formado al vacío
[Vacuum-formed polystyrene]
48,4 x 62,5 x 1,5 cm
Daros Latinamerica Collection,
Zürich

PP. 97-99

Envelope [Sobre], 1967
Aguafuerte e impresión de
sello de goma sobre papel, 10
unidades [Etching with rubber
stamping on paper, 10 parts],
Número de edición
desconocido, 4 series
realizadas (marcado a lápiz
PA) [Number of edition
unknown, 4 series produced
(print marked AP)]
Huella [Plate]: 17, 8 x 17, 8 cm;
papel [sheet]: 41 x 34,5 cm
c/u [each]
Cortesía de Colección Ella
Fontanals-Cisneros, Miami

P. 103

Selfportrait 1968
[Autorretrato 1968], 1968
Aguafuerte sobre papel
[Etching on paper]
Número de edición
desconocido, 4 grabados
realizados (marcado a lápiz
7/50) [Number of edition
unknown, 4 etchings produced
(print marked 7/50)]
Huella [Plate]: 44,4 x 44,4 cm;
papel [sheet]: 64,7 x 63,5 cm
Cortesía Luis Camnitzer;
Alexander Gray Associates,
Nueva York; Parra & Romero,
Madrid e Ibiza

P. 101

Fragment of a Map [Fragmento
de un mapa], 1968
Aguafuerte sobre papel
Número de edición
desconocido, 6 series
realizadas (marcado a lápiz
5/50) [Number of edition
unknown, 6 series produced
(print marked 5/50)]
Huella [Plate]: 44,7 x 44,4 cm;
papel [sheet]: 66 x 63,1 cm
Cortesía Luis Camnitzer;
Alexander Gray Associates,
Nueva York; Parra & Romero,
Madrid e Ibiza

PP. 108-109

Living Room [Sala comedor],
1969/2018
Impresión sobre vinilo [Inkjet
print on vinyl]
Dimensiones variables
[Variable dimensions]
Cortesía Luis Camnitzer;
Alexander Gray Associates,
Nueva York; Parra & Romero,
Madrid e Ibiza

P. 104

Selfportrait 1969
[Autorretrato 1969], 1969
Aguafuerte sobre papel
[Etching on paper]
Número de edición desconocido,
2 grabados realizados

(marcado a lápiz 2/50)
[Number of edition unknown,
2 etchings produced (print
marked 2/50)]
Huella [Plate]: 44,8 x 45,4 cm;
papel [sheet]: 70,1 x 70,4 cm
Cortesía Luis Camnitzer;
Alexander Gray Associates,
Nueva York; Parra & Romero,
Madrid e Ibiza

P. 116

*The Expressive Power of a
Dot* [El poder expresivo de un
punto], 1969–1975
Caja de madera y vidrio con
materiales diversos [Wood and
glass box with mixed media]
34,9 x 24,9 x 5 cm
Cortesía Luis Camnitzer;
Alexander Gray Associates,
Nueva York; Parra & Romero,
Madrid e Ibiza

PP. 110-111

Leftovers [Restos], 1970
80 cajas de cartón, gaza
teñida y acetato de polivinilo
[80 cardboard boxes, stained
gauze, and polyvinyl acetate]
203,2 x 322,7 x 17,7 cm
Tate: presentado por el
Latin American Acquisitions
Committee 2004

P. 105

Selfportrait 1970
[Autorretrato 1970], 1970
Aguafuerte sobre papel
[Etching on paper]
Número de edición
desconocido, 2 grabados
realizados (marcado a lápiz
2/50) [Number of edition
unknown, 2 etchings produced
(print marked 2/50)]
Huella [Plate]: 45,4 x 44,7 cm;
papel [sheet]: 71,1 x 70,3 cm
Cortesía Luis Camnitzer;
Alexander Gray Associates,
Nueva York; Parra & Romero,
Madrid e Ibiza

Signature by the Inch [Firma por pulgada], 1971
Serigrafía y lápiz sobre papel [Silkscreen and pencil on paper]
47,6 x 69,8 cm
Colección Donna Perret Rosen y Benjamin M. Rosen

P. 106

Selfportrait 1971 [Autorretrato 1971], 1971
Aguafuerte sobre papel [Etching on paper]
Número de edición desconocido, 2 grabados realizados (marcado a lápiz 2/50) [Number of edition unknown, 2 etchings produced (print marked 2/50)]
Huella [Plate]: 45,4 x 44,7 cm; papel [sheet]: 71,1 x 70,3 cm
Cortesía of Luis Camnitzer; Alexander Gray Associates, Nueva York; Parra & Romero, Madrid e Ibiza

P. 132

Alteration of the Universe by Transference of Lead from Pencil to Paper [Alteración del universo por transferencia de la mina del lápiz al papel], 1971–1974
Caja de madera y vidrio con materiales diversos [Wood and glass box with mixed media]
34,9 x 25,4 x 5 cm
Cortesía Luis Camnitzer; Alexander Gray Associates, Nueva York; Parra & Romero, Madrid e Ibiza

P. 120

Shift of the Center of the Earth [Desfasaje del centro de la tierra], 1971–1974
Caja de madera y vidrio con materiales diversos [Wood and glass box with mixed media]
34,9 x 25,6 x 5 cm
Cortesía Luis Camnitzer; Alexander Gray Associates, Nueva York; Parra & Romero, Madrid e Ibiza

P. 121

Object Covered by Its Own Image [Objeto cubierto por su propia imagen], 1971–1974
Caja de madera y vidrio con materiales diversos [Wood and glass box with mixed media]
34,9 x 25,6 x 5 cm
Cortesía Luis Camnitzer; Alexander Gray Associates, Nueva York; Parra & Romero, Madrid e Ibiza

P. 123

A) Object Covered by Its Own Image; B) Object Covered by the Viewer's Image [A) Objeto cubierto por su propia imagen; B) Objeto cubierto por la imagen del espectador], 1971–1974
Caja de madera y vidrio con materiales diversos [Wood and glass box with mixed media]
34,2 x 25,2 x 5 cm
Daros Latinamerica Collection, Zürich

P. 119

Prototype of a Man [Prototipo de un hombre], 1971–1974
Caja de madera y vidrio con materiales diversos [Wood and glass box with mixed media]
34,9 x 25,6 x 5 cm
Cortesía Luis Camnitzer; Alexander Gray Associates, Nueva York; Parra & Romero, Madrid e Ibiza

P. 117

The Expressive Power of a Line [El poder expresivo de una línea], 1971–1974
Caja de madera y vidrio con materiales diversos [Wood and glass box with mixed media]
34,9 x 25,6 x 5 cm
Cortesía Luis Camnitzer; Alexander Gray Associates, Nueva York; Parra & Romero, Madrid e Ibiza

P. 124

Absent Line [Línea ausente], 1971–1975
Caja de madera y vidrio con materiales diversos [Wood and glass box with mixed media]
30,7 x 25,1 x 4,8 cm
Cortesía Luis Camnitzer; Alexander Gray Associates, Nueva York; Parra & Romero, Madrid e Ibiza

P. 107

Selfportrait 1972 [Autorretrato 1972], 1972
Aguafuerte sobre papel [Etching on paper]
Número de edición desconocido, 2 grabados realizados (marcado a lápiz 2/50) [Number of edition unknown, 2 etchings produced (print marked 2/50)]
Huella [Plate]: 5,4 x 44,7 cm; papel [sheet]: 70,9 x 70,1 cm
Cortesía Luis Camnitzer; Alexander Gray Associates, Nueva York; Parra & Romero, Madrid e Ibiza

P. 122

Forma determinada por la conexión de los puntos externos del texto describiendo la forma [Shape Determined by the Connection of the External Points of the Text Describing the Shape], 1972–1974
Caja de madera y vidrio con materiales diversos [Wood and glass box with mixed media]
35 x 25,1 x 5 cm
Daros Latinamerica Collection, Zürich

P. 112

Signature by the Inch [Firma por pulgada], 1973
Serigrafía y lápiz sobre papel [Silkscreen and pencil on paper]
46,9 x 68,5 cm
Cortesía Luis Camnitzer;

Alexander Gray Associates, Nueva York; Parra & Romero, Madrid e Ibiza

P. 113
Signature by the Inch [Firma por pulgada], 1973
Serigrafía y lápiz sobre papel [Silkscreen and pencil on paper]
50,2 x 70,6 cm
Cortesía Luis Camnitzer; Alexander Gray Associates, Nueva York; Parra & Romero, Madrid e Ibiza

P. 118
Símbolo de un prócer; silueta de un prócer; sombra de un prócer; contraluz de un prócer; prócer negro [Symbol of a Worthy Man; Silhouette of a Worthy Man; Shadow of a Worthy Man; Backlight of a Worthy Man; Worthy Black Man], 1973–1974
Caja de madera y vidrio con materiales diversos [Wood and glass box with mixed media]
34,9 x 25,6 x 5 cm
Cortesía Luis Camnitzer; Alexander Gray Associates, Nueva York; Parra & Romero, Madrid e Ibiza

P. 128
Postage Stamp [Estampilla postal], 1973
Caja de madera y vidrio con materiales diversos [Wood and glass box with mixed media]
31,1 x 24,7 x 5 cm
Cortesía Luis Camnitzer; Alexander Gray Associates, Nueva York; Parra & Romero, Madrid e Ibiza

P. 130
Distance Representing a Time Difference of 0.00058504269 Seconds Between East and West (New York City) [Distancia que representa una diferencia de tiempo de 0.00058504269 segundos

entre este y oeste (ciudad de Nueva York)], 1973–1975
Caja de madera y vidrio con materiales diversos [Wood and glass box with mixed media]
34,5 x 25,3 x 5 cm
Daros Latinamerica Collection, Zürich

P. 131
Span of the Hand as a Unit of Lineal Measure Converted to One Inch [Palma de la mano como una unidad de medida lineal convertida a una pulgada], 1973–1975
Caja de madera y vidrio con materiales diversos [Wood and glass box with mixed media]
34,8 x 25 x 4,9 cm
Daros Latinamerica Collection, Zürich

P. 125
Telescope [Telescopio], 1967-1975
Caja de madera y vidrio con materiales diversos [Wood and glass box with mixed media]
34,3 x 25 x 5 cm
Colección Amy Gold y Brett Gorvy

P. 157
Fragment of a Mountain; Projectile; Object Resembling a Stone; Pre-Columbian Leftover Found in N.Y., 1973; Construction Element; Stone [Fragmento de una montaña; proyectil; objeto que se asemeja a una piedra; resto precolombino encontrado en N.Y., 1973; elemento de construcción; piedra], 1973–1976
Caja de madera y vidrio con materiales diversos [Wood and glass box with mixed media]
34,9 x 25,6 x 5 cm
Colección Estrellita B. Brodsky

P. 129
Rainbowed Statement [Frase arcoirisada], 1973–1975
Caja de madera y vidrio con materiales diversos [Wood and glass box with mixed media]
30,9 x 25 x 5 cm
Cortesía Luis Camnitzer; Alexander Gray Associates, Nueva York; Parra & Romero, Madrid e Ibiza

P. 134
The Form Generating the Content [La forma generando el contenido],1973–1977
Caja de madera y vidrio con materiales diversos [Wood and glass box with mixed media]
19,5 x 25,3 x 5 cm
Daros Latinamerica Collection, Zürich

P. 126
Una (...) que cubre la palabra que la nombra [One ... That Covers the Word That It Names], 1973–1976
Caja de madera y vidrio con materiales diversos [Wood and glass box with mixed media]
34,9 x 25,6 x 5 cm
Cortesía Luis Camnitzer; Alexander Gray Associates, Nueva York; Parra & Romero, Madrid e Ibiza

P. 139
Casa; hogar [House; Home], 1973–1976
Caja de madera y vidrio con materiales diversos [Wood and glass box with mixed media]
34,2 x 25 x 5 cm
Colección Sue y John Wieland

P. 141
Esto no es una pipa; esto no es información sobre una pipa; esto no es una obra de arte; esto no es una obra de arte de Magritte [This Is Not a Pipe; This Is Not Information

about a Pipe; This Is Not a Work of Art; This Is Not a Work by Magritte], 1974
Caja de madera y vidrio con materiales diversos [Wood and glass box with mixed media]
34,2 x 25 x 5 cm
Cortesía Luis Camnitzer; Alexander Gray Associates, Nueva York; Parra & Romero, Madrid e Ibiza

P. 133
Dibujo a lápiz sobre goma de borrar; dibujo imborrable; objeto envuelto en un dibujo [Pencil Drawing on Eraser; Indelible Drawing; Object Wrapped in a Drawing], 1974
Caja de madera y vidrio con materiales diversos [Wood and glass box with mixed media]
34,6 x 25 x 5 cm
Colección Francisco y Stefania Cestero

P. 127
Arquetipo; símbolo; estereotipo; gaviota solitaria contra el cielo del crepúsculo [Archetype; Symbol; Stereotype; Lonely Seagull Against Twilight Sky], 1974
Caja de madera y vidrio con materiales diversos [Wood and glass box with mixed media]
34,2 x 25 x 5 cm
Cortesía Luis Camnitzer; Alexander Gray Associates, Nueva York; Parra & Romero, Madrid e Ibiza

P. 142
Fragments Resulting from Between One to Three Corpses; Portrait [Fragmentos resultantes de entre uno y tres cadáveres; retrato], 1974
Caja de madera y vidrio con materiales diversos [Wood and glass box with mixed media]
34,6 x 25 x 5 cm
Cortesía Luis Camnitzer; Alexander Gray Associates,

Nueva York; Parra & Romero, Madrid e Ibiza

P. 140
This Is Not a Pipe; This Is Not Information about a Pipe; This Is Not a Work of Art; This Is Not a Work by Magritte [Esto no es una pipa; esto no es información sobre una pipa; esto no es una obra de arte; esto no es una obra de arte de Magritte], 1974
Caja de madera y vidrio con materiales diversos [Wood and glass box with mixed media]
34,2 x 25,4 x 5 cm
Colección particular, Nueva York

P. 143
John y Lillian, 1974
Caja de madera y vidrio con materiales diversos [Wood and glass box with mixed media]
38,1 x 25 x 5 cm
Cortesía Luis Camnitzer; Alexander Gray Associates, Nueva York; Parra & Romero, Madrid e Ibiza

P. 136
Piece of Glass or Plastic on a Sheet of Glass or Plastic [Pedazo de vidrio o plástico sobre una hoja de vidrio o plástico], 1974
Caja de madera y vidrio con materiales diversos [Wood and glass box with mixed media]
34,9 x 25 x 5 cm
Cortesía Luis Camnitzer; Alexander Gray Associates, Nueva York; Parra & Romero, Madrid e Ibiza

P. 144
Border Between the Above and the Below [Frontera entre arriba y abajo], 1974
Caja de madera y vidrio con materiales diversos [Wood and glass box with mixed media]
40,6 x 25 x 5 cm

Colección Alfredo Jaar, Nueva York

P. 135
Ray Johnson's Dotty Attie [Dotty Attie de Ray Johnson], 1974
Caja de madera y vidrio con materiales diversos [Wood and glass box with mixed media]
34,2 x 25 x 5 cm
Colección Luis Camnitzer

P. 147
Woman Looking (at: an Apple, an Accident Through the Window, Her Drying Fingernails, a Pornographic Magazine, an Embroided Pillow, a Screaming Crowd, a Grease Spot on a Checkered Tablecloth, a Telephone Ringing, Eisenstein's Face for Approval [Una mujer mirando (a: una manzana, un accidente por la ventana, sus uñas secándose, una revista pornográfica, una almohada bordada, una multitud gritando, una mancha de grasa en un mantel a cuadros, un teléfono sonando, la cara de Eisenstein para su aprobación], 1974
Caja de madera y vidrio con materiales diversos [Wood and glass box with mixed media]
37,7 x 25,4 x 5 cm
Daros Latinamerica Collection, Zürich

Branch of an Oak Tree Reconstituted with Sawdust of a Pinetree [Rama de un roble reconstituida con aserrín de un pino], 1974–1975
Caja de madera y vidrio con materiales diversos [Wood and glass box with mixed media]
40,6 x 25 x 5 cm
The Museum of Fine Arts, Houston, Gift of Olive Neuhaus Jenney, 2016.104

P. 145

Real Edge of the Line That Divides Reality from Fiction [El borde real de la línea que separa la realidad de la ficción], 1974–1975
Caja de madera y vidrio con materiales diversos [Wood and glass box with mixed media]
34,8 x 24,9 x 5 cm
Daros Latinamerica Collection, Zürich

P. 149

Pencil Drawing Done after L. Cranach's "Pythagoras as Discoverer of the Musical Intervals" and Erased from the Paper [Dibujo a lápiz según "Pitágoras como descubridor de los intervalos musicales" de L. Cranach, borrado del papel], 1974–1975
Caja de madera y vidrio con materiales diversos [Wood and glass box with mixed media]
34,9 x 24,9 x 4,9 cm
Daros Latinamerica Collection, Zürich

P. 137

Ocurrencia o idea [Occurrence or Idea], 1974–1976
Caja de madera y vidrio con materiales diversos [Wood and glass box with mixed media]
34,9 x 25,6 x 5 cm
Colección particular, Nueva York

P. 148

Aguafuerte de Picasso "Modelo y escultura surrealista" serie Vollard N. 74, 1933, convertido en una sola línea, en un hilo, en una espiral, en su precisa longitud (cms.813) ["Model and Surrealist Sculpture" Vollard Series N. 74, 1933, Etching by Picasso, Converted into One Single Line, One Thread, One Spiral, in Its Precise Length (813 cm)], 1975

Caja de madera y vidrio con materiales diversos [Wood and glass box with mixed media]
35,2 x 25 x 5 cm
Daros Latinamerica Collection, Zürich

P. 138

Lens or Place of Transition of the Objects Toward Their Images [Lente o lugar de transición de los objetos en dirección a sus imágenes], 1975
Caja de madera y vidrio con materiales diversos [Wood and glass box with mixed media]
34,9 x 25,6 x 5 cm
Cortesía de Luis Camnitzer; Alexander Gray Associates, Nueva York; Parra & Romero, Madrid e Ibiza

P. 159

Sun [Sol], 1975–1978
Fotograbado sobre latón [Photo-etching on brass]
20,3 x 25,4 cm
Colección Alexander Gray y David Cabrera, Nueva York

P. 151

Posibles autorretratos según condiciones genéticas idénticas (estudio para la eventual construcción de una raza) [Possible Self-Portraits According to Identical Genetic Conditions (Study for the Eventual Construction of a Race)], 1976
Caja de madera y vidrio con materiales diversos [Wood and glass box with mixed media]
35 x 25,1 x 4,9 cm
Daros Latinamerica Collection, Zürich

P. 150

Transmutación de pintura en aluminio [Transmutation of Painting into Aluminum], 1976
Caja de madera y vidrio con materiales diversos [Wood and glass box with mixed media]

34,8 x 25,6 x 5 cm
Cortesía Luis Camnitzer; Alexander Gray Associates, Nueva York; Parra & Romero, Madrid e Ibiza

P. 153

El instrumento y su obra [The Tool and Its Work], 1976
Caja de madera y vidrio con materiales diversos [Wood and glass box with mixed media]
35,1 x 24,9 x 5 cm
Daros Latinamerica Collection, Zürich

P. 154

The Perception of Oneself [La percepción de uno mismo], 1977–1980
Caja de madera y vidrio con materiales diversos [Wood and glass box with mixed media]
35 x 25,6 x 5 cm
Daros Latinamerica Collection, Zürich

P. 155

To Luis Camnitzer from Luis Camnitzer with Admiration and Affection [Para Luis Camnitzer de Luis Camnitzer con admiración y afecto], 1977–1980
Caja de madera y vidrio con materiales diversos [Wood and glass box with mixed media]
34,9 x 25,6 x 5 cm
Cortesía Luis Camnitzer; Alexander Gray Associates, Nueva York; Parra & Romero, Madrid e Ibiza

P. 152

The Reason of Alchemy [La razón de la alquimia], 1977
Caja de madera y vidrio con materiales diversos [Wood and glass box with mixed media]
34,2 x 25 x 5 cm
Cortesía Luis Camnitzer; Alexander Gray Associates, Nueva York; Parra & Romero, Madrid e Ibiza

P. 156

Victim's View Found on the Altar of Sacrifices at Teotihuacan [Vista de la víctima encontrada en el Altar de Sacrificios en Teotihuacan], 1978
Caja de madera y vidrio con materiales diversos [Wood and glass box with mixed media]
34,6 x 25,1 x 5 cm
Colección Selby Hickey

The Superstition of Reality [La superstición de la realidad], 1980
Caja de madera y vidrio con materiales diversos [Wood and glass box with mixed media]
34,9 x 25,6 x 5 cm
Cortesía Luis Camnitzer; Alexander Gray Associates, Nueva York; Parra & Romero, Madrid e Ibiza

PP. 161-175

From the *Uruguayan Torture Series* [De la "Serie Tortura Uruguaya"], 1983–1984
Fotograbado a cuatro colores, 35 unidades [Four-color photo-etchings in 35 parts]
74,9 x 55,1 cm c/u
Colección Blanton Museum of Art, The University of Texas at Austin, Archer M. Huntington Museum Fund, 1992 [copia de exposición Alexander Gray Associates y Parra & Romero]

He Tried to Count the Stars, from the series *Venice Project* [Trató de contar las estrellas, de la serie "Proyecto Venecia"], 1983-1986
Fotograbado sobre latón y materiales diversos [Photo-etching on brass and mixed media]
Dimensiones variables [Variable dimensions]
Cortesía Luis Camnitzer; Alexander Gray Associates, Nueva York; Parra & Romero, Madrid e Ibiza

Fabrication Sustained Memory, from the series *Venice Project* [La fabricación sostenía la memoria, de la serie "Proyecto Venecia"], 1985–1986
Fotograbado sobre latón y materiales diversos [Photo-etching on brass and mixed media]
Dimensiones variables [Variable dimensions]
Cortesía Luis Camnitzer; Alexander Gray Associates, Nueva York; Parra & Romero, Madrid e Ibiza

P. 179

Objects Were Covered by Their Own Image, from the series *Venice Project* [Objetos cubiertos por su propia imagen, de la serie "Proyecto Venecia"], 1986
Fotograbado sobre latón y materiales diversos [Photo-etching on brass and mixed media]
Dimensiones variables [Variable dimensions]
Cortesía Luis Camnitzer; Alexander Gray Associates, Nueva York; Parra & Romero, Madrid e Ibiza

P. 178

Any Image Was to be Cherished Under the Circumstances, from the series *Venice Project* [Cualquier imagen tenía que ser apreciada dadas las circunstancias, de la serie "Proyecto Venecia"], 1986
Fotograbado sobre latón y materiales diversos [Photo-etching on brass and mixed media]
Dimensiones variables [Variable dimensions]
Cortesía Luis Camnitzer;

Alexander Gray Associates, Nueva York; Parra & Romero, Madrid e Ibiza

P. 177

They Found That Reality Had Intruded Upon the Image, from the series *Venice Project* [Se dieron cuenta de que la realidad se había inmiscuido en la realidad, de la serie "Proyecto Venecia"], 1987
Fotograbado sobre latón y materiales diversos [Photo-etching on brass and mixed media]
Dimensiones variables [Variable dimensions]
Cortesía Luis Camnitzer; Alexander Gray Associates, Nueva York; Parra & Romero, Madrid e Ibiza

P. 180

He Had Organized Things As He Perceived Them, from the series *Venice Project* [Él había organizado las cosas tal como las percibía, de la serie "Proyecto Venecia"], 1987
Fotograbado sobre latón y materiales diversos [Photo-etching on brass and mixed media]
Dimensiones variables [Variable dimensions]
Cortesía Luis Camnitzer; Alexander Gray Associates, Nueva York; Parra & Romero, Madrid e Ibiza

P. 181

He Had Offered It, Though Without Expectation, from the series *Venice Project* [Lo había ofrecido sin expectativa, de la serie "Proyecto Venecia"], 1987
Fotograbado sobre latón y materiales diversos [Photo-etching on brass and mixed media]
Dimensiones variables [Variable dimensions]

The Museum of Fine Arts, Houston, Gift of Olive Neuhaus Jenney, 2016.102.A,.B

P. 183

Portrait of the Artist [Retrato del artista], 1991
Ventilador, hilo y lápiz [Fan, thread, and pencil]
Dimensiones variables
[Variable dimensions]
Cortesía Luis Camnitzer; Alexander Gray Associates, Nueva York; Parra & Romero, Madrid e Ibiza

PP. 184-187

Los San Patricios [The San Patricios], 1992
Fotograbado en latón y materiales diversos [Photo-etchings on brass and mixed media]
Dimensiones variables
[Variable dimensions]
Cortesía Luis Camnitzer; Alexander Gray Associates, Nueva York; Parra & Romero, Madrid e Ibiza

PP. 188-189

El Mirador
[The Observatory], 1996
Materiales diversos [Mixed media]
Dimensiones variables
[Variable dimensions]
Cortesía Luis Camnitzer; Alexander Gray Associates, Nueva York; Parra & Romero, Madrid e Ibiza

PP. 190-191

Tratado sobre el paisaje
[Treaty on Landscape], 1996
Botellas de vidrio etiquetadas y materiales diversos [Labeled glass bottles and mixed media]
Dimensiones variables
[Variable dimensions]
Colección Lillian y Billy Mauer

PP. 192-193

Lección de historia del arte, lección n.º 1 [Art History Lesson, Lesson No. 1], 2000
10 proyectores de diapositivas y 10 plataformas diversas
[10 slide projectors and 10 variable platforms]
Dimensiones variables
[Variable dimensions]
Colección Solomon R. Guggenheim Museum, Nueva York Guggenheim
UBS MAP Purchase Fund, 2014; 2014.12

PP. 194-195

Documenta Project
[Proyecto Documenta], 2002
Materiales diversos [Mixed media]
Dimensiones variables
[Variable dimensions]
Cortesía Luis Camnitzer; Alexander Gray Associates, Nueva York; Parra & Romero, Madrid e Ibiza

PP. 196-197

El aula [The Classroom], 2005
Materiales diversos [Mixed media]
Dimensiones variables
[Variable dimensions]
Cortesía Luis Camnitzer; Alexander Gray Associates, Nueva York; Parra & Romero, Madrid e Ibiza

PP. 198-199

Last Words
[Últimas palabras], 2008
Impresión pigmentada, 6 unidades [Pigment prints in 6 parts]
167,6 x 111,7 cm c/u [each]
Cortesía Luis Camnitzer; Alexander Gray Associates, Nueva York; Parra & Romero, Madrid e Ibiza

El museo es una escuela
[The Museum is a School], 2009-2018

Obra producida para esta exposición por el Museo Nacional Centro de Arte Reina Sofía

PP. 200-201

Insultos [Insults], 2009
Vinilo de corte [Cut vinyl]
Dimensiones variables
[Variable dimensions]
Cortesía Luis Camnitzer; Alexander Gray Associates, Nueva York; Parra & Romero, Madrid e Ibiza

PP. 202-203

Memorial, 2009
Impresión pigmentada, 195 unidades [Pigment prints in 195 parts]
29,8 x 24,1 cm c/u [each]
The Museum of Modern Art, Nueva York. Fondo Latinoamericano y Caribeño a través de la donación de Adriana Cisneros de Griffin y Patricia Phelps de Cisneros [copia de exposición Alexander Gray Associates y Parra & Romero]

PP. 214-217

Utopías fallidas [Failed Utopias], 2010/2018
Placas de latón grabadas [Engraved brass plates]
Dimensiones variables
[Variable dimensions]
Cortesía Luis Camnitzer; Alexander Gray Associates, Nueva York; Parra & Romero, Madrid e Ibiza

PP. 204-205

Crimen perfecto
[Perfect Crime], 2010
Teleidoscopio con bases de madera de nogal americano, 10 unidades [Teleidoscope with hickory bases, 10 parts]
170 x 12 x 4 cm c/u [each]
Colección Musac, León

Objeto carente de nombre, de la serie *Cuaderno de ejercicios* [Object Missing a Name, from the series "Assignments Book"], 2011/2017
Incisión sobre latón y materiales diversos [Engraving on brass and mixed media]
Dimensiones variables [Variable dimensions]
Cortesía Luis Camnitzer; Alexander Gray Associates, Nueva York; Parra & Romero, Madrid e Ibiza

La frontera que separa el pensamiento de la ilusión, de la serie *Cuaderno de ejercicios* [The Border that Separates Thought from Illusion, from the series "Assignments Book"], 2011/2017
Incisión sobre latón y materiales diversos [Engraving on brass and mixed media]
Dimensiones variables [Variable dimensions]
Cortesía Luis Camnitzer; Alexander Gray Associates, Nueva York; Parra & Romero, Madrid e Ibiza

Adentro y afuera, de la serie *Cuaderno de ejercicios* [In and Out, from the series "Assignments Book"], 2011/2017
Incisión sobre latón y caja de cartón [Engraving on brass and cardboard box]
Dimensiones variables [Variable dimensions]
Cortesía Luis Camnitzer; Alexander Gray Associates, Nueva York; Parra & Romero, Madrid e Ibiza

P. 211
Signo tipográfico, de la serie *Cuaderno de ejercicios* [Typographic Sign, from the series "Assignments Book"], 2011/2017

Incisión sobre latón y sello de goma [Engraving on brass and rubber stamp]
Dimensiones variables [Variable dimensions]
Cortesía Luis Camnitzer; Alexander Gray Associates, Nueva York; Parra & Romero, Madrid e Ibiza

P. 210
Infelicidad y felicidad, de la serie *Cuaderno de ejercicios* [Unhappiness and Happiness, from the series "Assignments Book"], 2011/2017
Incisión sobre latón y materiales diversos [Engraving on brass and mixed media]
Dimensiones variables [Variable dimensions]
Cortesía Luis Camnitzer; Alexander Gray Associates, Nueva York; Parra & Romero, Madrid e Ibiza

P. 208
Punto de fuga, de la serie *Cuaderno de ejercicios* [Vanishing Point, from the series "Assignments Book"], 2011/2017
Incisión sobre latón [Engraving on brass]
24,1 x 21,5 cm
Cortesía Luis Camnitzer; Alexander Gray Associates, Nueva York; Parra & Romero, Madrid e Ibiza

Geografía de acuerdo con criterios pragmáticos, de la serie "Cuaderno de ejercicios" [Geography Following Pragmatic Criteria, from the series "Assignments Book"], 2011/2017
Incisión sobre latón y materiales diversos [Engraving on brass and mixed media]
Dimensiones variables [Variable dimensions]
Cortesía Luis Camnitzer; Alexander Gray Associates,

Nueva York; Parra & Romero, Madrid e Ibiza

La zona enmarcada, de la serie *Cuaderno de ejercicios* [The Framed Zone, from the series "Assignments Book"], 2011/2017
Incisión sobre latón y materiales diversos [Engraving on brass and mixed media]
Dimensiones variables [Variable dimensions]
Cortesía Luis Camnitzer; Alexander Gray Associates, Nueva York; Parra & Romero, Madrid e Ibiza

2 + 2 = 5, de la serie *Cuaderno de ejercicios* [2 + 2 = 5, from the series "Assignments Book"], 2011/2017
Incisión sobre latón [Engraving on brass]
24,1 x 21,5 cm
Cortesía Luis Camnitzer; Alexander Gray Associates, Nueva York; Parra & Romero, Madrid e Ibiza

Objeto cotidiano útil, de la serie *Cuaderno de ejercicios* [Quotidian Functional Object, from the series "Assignments Book"], 2011/2017
Incisión sobre latón y materiales diversos [Engraving on brass and mixed media]
Dimensiones variables [Variable dimensions]
Cortesía Luis Camnitzer; Alexander Gray Associates, Nueva York; Parra & Romero, Madrid e Ibiza

Una línea, de la serie *Cuaderno de ejercicios* [A Line, from the series "Assignments Book"], 2011/2017
Incisión sobre latón y materiales diversos [Engraving on brass and mixed media]
Dimensiones variables [Variable dimensions]

Cortesía Luis Camnitzer; Alexander Gray Associates, Nueva York; Parra & Romero, Madrid e Ibiza

Biografía de un objeto, de la serie *Cuaderno de ejercicios* [Biography of an Object, from the series "Assignments Book"], 2011/2017
Incisión sobre latón y materiales diversos [Engraving on brass and mixed media]
Dimensiones variables [Variable dimensions]
Cortesía Luis Camnitzer; Alexander Gray Associates, Nueva York; Parra & Romero, Madrid e Ibiza

Mapa del infinito, de la serie *Cuaderno de ejercicios* [Map of the Infinite, from the series "Assignments Book"], 2011/2017
Incisión sobre latón [Engraving on brass]
24,1 x 21,5 cm
Cortesía Luis Camnitzer; Alexander Gray Associates, Nueva York; Parra & Romero, Madrid e Ibiza

Origen o historia, de la serie *Cuaderno de ejercicios* [Origin or History, from the series "Assignments Book"], 2011/2017
Incisión sobre latón y materiales diversos [Engraving on brass and mixed media]
Dimensiones variables [Variable dimensions]
Cortesía Luis Camnitzer; Alexander Gray Associates, Nueva York; Parra & Romero, Madrid e Ibiza

P. 209
Sólido, líquido y gaseoso, de la serie *Cuaderno de ejercicios* [Solid, Liquid, Gas, from the series "Assignments Book"], 2011/2017
Incisión sobre latón y materiales diversos [Engraving on brass and mixed media]
Dimensiones variables [Variable dimensions]
Cortesía Luis Camnitzer; Alexander Gray Associates, Nueva York; Parra & Romero, Madrid e Ibiza

P. 206
Radios infinitos, de la serie *Cuaderno de ejercicios* [Infinite Rays, from the series "Assignments Book"], 2011/2017
Incisión sobre latón y materiales diversos [Engraving on brass and mixed media]
Dimensiones variables [Variable dimensions]
Cortesía Luis Camnitzer; Alexander Gray Associates, Nueva York; Parra & Romero, Madrid e Ibiza

P. 207
Declaración poética, de la serie *Cuaderno de ejercicios* [Poetic Declaration, from the series "Assignments Book"], 2011/2017
Incisión sobre latón y materiales diversos [Engraving on brass and mixed media]
Dimensiones variables [Variable dimensions]
Cortesía Luis Camnitzer; Alexander Gray Associates, Nueva York; Parra & Romero, Madrid e Ibiza

Sistema perfectamente ordenado, de la serie *Cuaderno de ejercicios* [Perfectly Ordered System, from the series "Assignments Book"], 2011/2017
Incisión sobre latón y materiales diversos [Engraving on brass and mixed media]
Dimensiones variables [Variable dimensions]
Cortesía Luis Camnitzer; Alexander Gray Associates, Nueva York; Parra & Romero, Madrid e Ibiza

Jane Doe, 2012/2015
Vídeo digital editado a partir de imágenes obtenidas en la world wide web [Digital video edited from images sourced on the world wide web]
Edición de 3 con 1 PA [Number of edition 3, 1 AP]
45' 44''
Cortesía Luis Camnitzer; Alexander Gray Associates, Nueva York; Parra & Romero, Madrid e Ibiza

PP. 212-213
De la guerra [About War], 2016–2018
Impresión pigmentada y materiales diversos [Pigment prints and mixed media]
Dimensiones variables [Variable dimensions]
Cortesía Luis Camnitzer; Alexander Gray Associates, Nueva York; Parra & Romero, Madrid e Ibiza

BIBLIOGRAFÍA SELECCIONADA

RECOPILADA POR
PAGE BANKOWSKI

CATÁLOGOS, REVISTAS Y PERIÓDICOS

"9 Art Events to Attend in New York City This Week". *ARTnews*, 21 de febrero de 2017.

"ADAA Art Show Brings Together a Full Spectrum of American Art". *Art Fix Daily*, 23 de febrero de 2017.

Agitations. Limerick, Irlanda: EVA International, 2015, pp. 70-71.

Alberro, Alexander, y Luis Camnitzer. *Luis Camnitzer in Conversation with / en conversación con Alexander Alberro*. Edición bilingüe (español/inglés). Nueva York / Caracas, Fundación Cisneros / Colección Patricia Phelps de Cisneros, 2014.

Armstrong, Carol. "On Line". *Artforum* 49, n.º 6 (2011).

Barnitz, Jacqueline, y Patrick Frank. "Graphic Art, Painting, and Conceptualism as Ideological Tools". En *Twentieth-Century Art of Latin America,* edición de Jacqueline Barnitz, 2001. Austin: The University of Texas Press, 2015, pp. 302-304.

Becker, Wolfgang. *Luis Camnitzer*. Hamburgo: Galerie Basta, 1995.

Behar, Ionit. "Solution, Problem, Problem, Solution: On the Art of Luis Camnitzer". *The Seen*, 20 de septiembre de 2016.

Belchior, Camila. "Between fair and festival: A report from SP-Arte 2017". *Ocula*, 21 de abril de 2017.

Boucher, Brian. "Artist Wants Trump to Ditch 'Racist' Wall for Orange Fence by Christo". *Artnet News*, 9 de enero de 2017.

Bruder, Anne. *Conceptual Geographies: Frames and Documents*. Nueva York: Miriam and Ira D. Wallach University Art Gallery, 2013, pp. 14-15.

Busta, Caroline. "Luis Camnitzer Alexander Gray Associates". *Artforum* 46, n.º 10 (2008), p. 441.

Butler, Connie y Benjamin Buchloh. *On Line: Drawing Through the Twentieth Century*. Nueva York: The Museum of Modern Art, 2010, pp. 24-25, 104, 128.

"Camnitzer: Arte y educación deberían ser caras de la misma moneda". *El Universal*, 10 de marzo de 2018.

Campbell, Andy. "'HOME—So Different, So Appealing': Los Angeles County Museum of Art". *Artforum*, 27 de julio de 2017.

Chamberlain, Colby. "Border Politics: Colby Chamberlain on Running Fence". *Artforum* 55, n.º 8 *(*2017).

Coppola, John. "Look Once, Think Twice". *The Miami Herald,* 19 de febrero de 2012.

Cotter, Holland. "Luis Camnitzer". *The New York Times*, 11 de abril de 2008.

—— "Unresolved Chords Echo for 'the Disappeared'". *The New York Times*, 7 de abril de 2007.

—— "Art in Review". *The New York Times*, 13 de octubre de 1995.

—— "A Multi-National Approach to Characterizing the Americas". *The New York Times*, 20 de agosto de 1993.

—— "Arriving Late to the Party, but Dancing on All the Clichés". *The New York Times*, 12 de junio de 2014.

Dehn, Jochen, Alexander Forbes, y Lukas Töpfer. *Material Conceptualism: The Comfort of Things*. Berlín: Aanant & Zoo, 2013, pp. 12-13.

Dees, Janet, Irene Hofmann, Candice Hopkins, Lucía Sanromán, y Lucy R. Lippard, eds. *Unsettled Landscapes*. Santa Fe: SITE Santa Fe, 2014, pp. 114-115.

Delacoste, Gabriel, Lucía Naser y Santiago Mazzarovich. "La obligación de imaginar: Con el artista visual, ensayista y docente, Luis Camnitzer". *La Diaria,* 27 de marzo de 2016.

Deman, Samantha. "Luis Camnitzer à Paris: La leçon d'éveil". *Arts Hebdo Medias*, 26 de febrero de 2014.

Durón, Maximilíano. "Preview the 2017 ADAA Art Show". *ARTnews*, 27 de febrero de 2017.

Dziewior, Yilmas, y Angelika Nollert. *Utopie beginnt im Kleinen. Utopia starts small: 12 Triennale Kleinplastik Fellbach*. Colonia: Walther König, 2013, pp. 52-53.

Enwezor, Okwui. *Documenta11_Platform5: The Catalog*. Ostfildern-Ruit, Alemania: Hatje Cantz, 2002, pp. 222-225.

Espinosa de los Monteros, Santiago. "Crisisss. América Latina, arte y confrontación, 1910-2010". *ArtNexus* 10, n.º 82 (septiembre/ noviembre 2011).

Farver, Jane. *Luis Camnitzer: Retrospective Exhibition 1966-1990*. Bronx: Lehman College Art Gallery, 1991.

Fernández, Hamlet. "Año del Dibujo". *Cuban Art News*, 3 de marzo de 2016.

Fernández, Sandra. "Por un futuro posible en NC-arte, Bogotá". *El Espectador*, 10 de marzo de 2018.

"Fontanals-Cisneros donates Latin-American art to a large tobacco center in Madrid". *Turkey Telegraph*, 20 de febrero de 2018.

Gat, Orit. "Critic's Guide: New York". *Frieze*, 28 de febrero de 2017.

Golden, Audrey J. "Spaces of Torture, Spaces

of Imagination: Refiguring Viewer Response to Suffering in Luis Camnitzer's 'From the Uruguayan Torture Series'". *Wake Forest Law Review* 49 (2014): 713-726.

Greaney, Patrick. "Last Words: Expression and Quotation in the Works of Luis Camnitzer". *The Germanic Review* 89, n.º 1 (2014): 94120.

"Great Neck Historical Society honors couple for preserving historic home". *The Island Now*, 27 de febrero de 2018.

Guggenheim UBS MAP Global Art Initiative. "Under the Same Sun: Luis Camnitzer on Art and Education in Context". Vídeo digital, 5:36 min., 2014.

—— "Under the Same Sun: Luis Camnitzer on 'Art Thinking' and Art History." Vídeo digital, 4:27 min., 2014.

Haber, Alicia. *Luis Camnitzer: El Libro de los Muros*. Montevideo, Uruguay: División Cultura, Salón Municipal de Exposiciones, 1993.

Harrison, Helen A. "ART REVIEWS: Divided by Beliefs, but United in Abstraction". *The New York Times*, 18 de marzo de 2001.

"Haus der Kulturen der Welt (HKW)". *e-flux journal*, 25 de septiembre de 2017.

Herrera Téllez, Adriana. "Camnitzer: The Parable of Conceptual Suspiciousness". *Arte Al Día*, n.º 135 (2011), pp. 113-115.

Herzog, Hans, y Katrin Steffen, eds. *Luis Camnitzer*. Ostfildern, Alemania: Hatje Cantz, 2010.

Hick, Thierry. "Du trait au dessin de Ad Reinhardt". *Luxemburger Wort*, 8 de julio de 2017.

Hidalgo, María Eugenia, y Andrew Hurley, eds. *3ra Trienal Poli/Gráfica de San Juan*. San Juan, Puerto Rico: Programa de Artes Plásticas, Instituto de Cultura Puertorriqueña, Antiguo Arsenal de la Marina Española, 2012, p. 216.

Honoré, Vincent, y Manuela Ribadeneira. *Drawing Room Confessions 7: Luis Camnitzer*. Londres: Drawing Room Confessions; Milán: Mousse Magazine and Publishing, 2013.

"'I am you, you are too', Walker Art Center Minneapolis". *Inferno Magazine*, 30 de julio de 2017.

Jones, Catherine A. *The Global Work of Art: World's Fairs, Biennials, and the Aesthetics of Experience*. Chicago y Londres: The University of Chicago Press, 2016, pp. 157-160, 278.

Kartofel, Graciela. "Luis Camnitzer: Alexander Gray Associates". *ArtNexus* 14, n.º 97 (junio/agosto 2015): 106-107.

Lam, Steven, Virginia Solomon, Emily Roysdon, y Greg Bordowitz. *Tainted Love*. Nueva York: La MaMa Galleria, 2009, p. 19.

Lanavère, Marianne. *Transhumance*. Beaumont-du-lac, Francia: Centre International d'art & du Paysage, 2017, p. 45.

Leffingwell, Edward. "Report from Houston: Latin American Modern". *Art in America*, octubre 2004.

"Luis Camnitzer: Short Stories". *Artishock*, 28 de marzo de 2017.

"Luis Camnitzer sobre la integración entre arte y educación". *Artishock*, 31 de mayo de 2017.

Luna Muñoz, Estrella. "Inside and outside the museum, symbolic forms of understanding art". *Wrong Wrong Magazine*, 24 de abril de 2017.

McEvilley, Thomas. "Luis Camnitzer, Carla Stellweg Gallery". *Artforum* 34, no. 5 (1996): 84.

McGrath, Kieran. "Q&A: Luis Camnitzer's oeuvre, violence, Chile, and the art market." *The Santiago Times*, August 4, 2013.

McMahon, Katherine. "Photos from the 2017 ADAA Art Show". *ARTnews*, March 1, 2017.

Mergel, Jen, Liz Munsell, y Jesús Fuenmayor. *Permission To Be Global: Latin American Art from the Ella Fontanals-Cisneros Collection*. Miami: Cisneros Fontanals Art Foundation, 2013, pp. 58-59.

Montgomery, Harper, y Amelia Kutschbach. *Open Work in Latin America, New York & Beyond: Conceptualism Reconsidered, 1967–1978*. Nueva York: Hunter College of The City of New York, 2013, pp. 30-33.

Moreno, Ana, Rufino Ferreras, Ana Andrés, y Alicia Martín. *Lección de Arte*. Madrid: Museo Nacional Thyssen-Bornemisza, 2017, pp. 28-39.

Morgan, Robert. "In the Air: Conceptual Art, North and South". *Artcritical.com*, 18 de abril de 2013.

"Morning Links: Trump's Border Wall Edition". *Artnews*, 10 de enero de 2017.

Mosquera, Gerardo, ed. *Contemporary Art in Latin America*. Londres: Black Dog Publishing, 2010, pp. 30-31, 170-176.

—— "New Art of Cuba". *Artforum* 33, n.º 4 (1994).

—— ed. *Perduti nel Paesaggio/Lost in Landscape*. Rovereto, Italia: Museo di arte moderna e contemporanea di Trento e Rovereto, 2014.

Munder, Heike, ed. *Resistance Performed: An Anthology on Aesthetic Strategies under Repressive Regimes in Latin America*. Zúrich: Migros Museum für Gegenwartskunst, 2015, pp. 82-89.

Muñoz-Alonso, Lorena. "Luis Camnitzer's 'Reflejos y Reflexiones.'" *Art Agenda*, 5 de enero de 2012.

Mutambu, John. "Luis Camnitzer". In *Space to Dream: Recent Art from South America*, edición de Beatriz Bustos Oyanedel, y Dr. Zara Stanhope. Auckland, Nueva Zelanda: Auckland Art Gallery Toi o Tāmaki, 2016, pp. 144-145.

Navarro, Wendy, ed. *Caleidoscopio y Rompecabezas: Latinoamérica en la Colección MUSAC*. Las Palmas: Centro Atlántico de Arte Moderno - CAAM, 2016, pp. 36-38, 99.

Neil, T.D. Jonathan: "Luis Camnitzer: *The Mediocrity of Beauty*. Alexander Gray Associates". *ArtReview*, abril 2015.

New York Graphic Workshop: Luis Camnitzer, Jose Guillermo Castillo, Liliana Porter. Caracas: Museo de Bellas Artes, 1969.

Noriega, Chon, Mari Carmen Ramírez, y Pilar Tompkins Rivas. *Home—So Different, So Appealing*. Los Ángeles: UCLA Chicano Studies Research Center Press, 2017, pp. 94-98, 154-157, 267.

Oleson, J R. "Missao mourns cultural dissolution // Exhibit examines displacements due to encounters". *Austin American-Statesman*, 12 de septiembre de 1992.

Oyanedel, Beatriz Bustos y Dr. Zara Stanhope, eds. *Space to Dream: Recent Art from South America*. Auckland, Nueva Zelanda: Auckland Art Gallery Toi o Tāmaki, 2016, p. 60.

Pérez-Barreiro, Gabriel, ed. *Blanton Museum of Art: Latin American Collection*. Austin: Blanton Museum of Art, The University of Texas at Austin, 2006, pp. 132-135.

——— , Ursula Davila-Villa, y Gina McDaniel Tarver. *The New York Graphic Workshop, 1964-1970*. Austin: Blanton Museum of Art, The University of Texas at Austin, 2009.

Perlein, Gilbert y Michèle Brun. *Human*. París: Skira Flammarion, 2010, pp. 52-53.

——— ed. *Paper*. Niza: Musée d'Art moderne et d'Art contemporain (MAMAC), 2012, pp. 30-33.

Pini, Ivonne. "Casa Daros". *ArtNexus* 14, n.º 96 (marzo-mayo 2015), pp. 70-74.

Princenthal, Nancy. "Luis Camnitzer at El Museo del Barrio and Carla Stellweg". *Art in America*, febrero 1996

Quiles, Daniel R. "Tamices del cambio: Sobreindentificación en America Latina, 1966-1989". En *NSK From Kapital to Capital: Neue Slovenische Kunst—An Event of the Final Decade of Yogoslavia*, editado por Zdenka Badovinac, Eda Čufer y Anthony Gardner. Liubliana, Eslovenia: Moderna galerije, 2015, pp. 132-142.

Quintero Restrepo, Mónica. "Camnitzer expone hoy en el Mamm", *El Colombiano*, 3 de agosto de 2012.

Ramírez, Mari Carmen. "Blueprint Circuits: Conceptual Art and Politics in Latin America". En *Latin American Artists of the Twentieth Century*, editado por Waldo Rasmussen. Nueva York: The Museum of Modern Art, 1993, pp. 156-167

Ramírez, Mari Carmen, y Beverley Adams, eds. *Encounters/Displacements: Luis Camnitzer, Alfredo Jaar, Cildo Meireles*. Austin: Archer M. Huntington Art Gallery, The University of Texas at Austin, 1992.

Rasmussen, Waldo, ed. *Latin American Artists of the Twentieth Century*. Nueva York: The Museum of Modern Art, 1993, pp. 202-203.

Rattemeyer, Christian. "VIII Bienal de la Habana: Various Venues". *Artforum* 42, n.º 6 (2004).

Raymond, Katherine. "Vitality, tension mark Latin exhibit // Contemporary works reflect original vision". *Austin American-Statesman*, 12 de octubre de 1989.

Raynor, Vivien. "ART; At the Lehman, Works of War and Torture, Politics and Wit". *The New York Times*, 3 de marzo de 1991.

Reuter, Laurel. *The Disappeared (Los Desparecidos)*. Nueva York: Distributed Art Publishers, 2006, pp. 32-33, 82-85.

Rexer, Lyle. "Roundtable: New York Graphics Workshop". *Art Papers*, septiembre-octubre 2008.

Rifkin, Adrian. "'Face A L'Histoire': Centre Pompidou". *Artforum* 35, n.º 8 (1997).

Rodrigues da Silva, Renato. "El Instrumento y Su Obra". *Fillip*, otoño 2012.

Santos, Juan José. "La escuela de Luis Camnitzer". *Artishock*, 21 de noviembre de 2014.

Smith, Richard Cándida. *Improvised Continent: Pan-Americanism and Cultural Exchange*. Filadelfia: University of Pennsylvania Press, 2017, pp. 246-255.

Smith, Terry. *Contemporary Art: World Currents*. Nueva York: Pearson, 2011, p. 119.

Steinhauer, Jillian. "Artist Petitions Donald Trump to Commission a Border Fence by Christo". *Hyperallergic*, 10 de enero de 2017.

Stromberg, Matt. "For Artists, the U.S.—Mexico Border is Fertile Territory". *Artsy*, 6 de marzo de 2017.

Suzuki, Sarah. "Print People: A Brief Taxonomy of Contemporary Printmaking". *Art Journal* 70, n.º 4 (verano 2011), pp. 7-24.

Tala, Alexia. "El grabado en el ring de las definiciones/Printmaking in the Ring of Definitions". En *4ta. Trienal Poli/Grafica de San Juan: América Latina y el Caribe*, edición de Gerardo Mosquera, Vanessa Hernández Gracia, Alexia

Tala. San Juan, Puerto Rico: Programa de Artes Plásticas, 2015, pp. 55-66

Tatay, Helen. "Luis Camnitzer's Dibujos". *Art Agenda*, 24 de enero de 2017.

Thurston, Nick, ed. *If I could give 200 words worth of advice to a Fine Art student in 2017...* Leeds: University of Leeds, 2017, p. 2.

Twerdy, Saelan. "Re-use of Language: The exhibition *Postscript* brings together experimental literature and contemporary art". *Magenta Magazine* 3, n.º 3 (otoño/invierno 2012).

Valdez, Sarah. "Luis Camnitzer at Alexander Gray". *Art in America*, junio-julio 2008.

Verwoert, Jan. "Luis Camnitzer". *Frieze*, 5 de abril de 2004.

Voorhies, James. *Beyond Objecthood: The Exhibition as a Critical Form Since 1968.* Cambridge: The MIT Press, 2017, p. 195. Waldmeier, Martin, ed. *La Voix du Traducteur: The Translator's Voice: La Voz del Traductor: Omsetjaren Røyst: A Voz de Tradutor.* Metz, Francia: 49 Nord 6 Est - Fonds regional d'art contemporain de Lorraine, 2015, pp. 50-55.

Welsch, Maren. "Luis Camnitzer: Blick durch den Spiegel". En *Der Spiegel des Narzisst: Vom Mythologischen Halbgott sum Massenphänomen*, editado por Beate Ermacora y Maren Welsch, pp. 74-77. Colonia: Snoeck Verlagsgesellschaft mbH, 2012.

Wouk Almino, Elisa. "Ways to Talk About Latin American and Latino Art". *Hyperallergic*, 3 de noviembre de 2017.

TEXTOS SELECCIONADOS DE LUIS CAMNITZER

Camnitzer, Luis. "La Dimensión de Las Fronteras Desdobladas. Entrevista con Luis Camnitzer". Entrevista por Martina Spataro. *Código*, noviembre 2017, pp. 74-80.

—— "Entrevista a Luis Camnitzer". Entrevista por Paulina León. *Revista Index*, abril 2017.

—— *Falsificación original.* Montevideo, Uruguay: Espacio de Arte Contemporáneo (EAC), 2016.

—— "How to Fix the Art World, Part 1". *Artnews*, invierno 2017, p. 69.

—— "On Memoria de la Postguerra // 1995". En *The Magazine: Documents of Contemporary Art*, editado por Gwen Allen, pp. 158-160. Londres: Whitechapel Gallery, 2016.

—— "Grabado Lima". *Rinoceronte* 6 (2015), pp. 6-19.

—— "The Mediocrity of Beauty". En *Luis Camnitzer: The Mediocrity of Beauty.* Nueva York:

Alexander Gray Associates, 2015. pp. 4-44

—— "The Retweeting of Academia". *e-flux journal*, febrero 2015.

Camnitzer, Luis, Pablo Helguera, y Betty Marín. *Art and Education.* Portland: Publication Studio, 2014.

Camnitzer, Luis, Oliver Compagnon, y Alfonso Morales. *América Latina 1960-2013: Photographs.* Londres: Thames & Hudson, 2014.

Camnitzer, Luis. *Arte Estado Y No He Estado.* Montevideo, Uruguay: Editorial Hum, 2013.

Camnitzer, Luis, y Sam Durant. "The Church of Ethical Cynicism: A Conversation between Sam Durant and Luis Camnitzer". *Mousse Magazine* 32 (febrero-marzo 2012), pp. 198-203.

Camnitzer, Luis. *Reflejos y Reflexiones.* Madrid: Parra & Romero, 2011.

—— "Luis Camnitzer". Entrevista de Alejandro Cesarco. *BOMB* 115 (primavera 2011).

—— "La mediocridad de la belleza". En ¿Quién le teme a la belleza? Edición de Javier Domínguez Hernández et al., Medellín: La Carreta Editores, 2010, pp. 151-167.

—— "The Artist's Role and Image in Latin America". En *Contemporary Art in Latin America*, edición de Gerardo Mosquera. Londres: Black Dog Publishing, 2010, pp. 170-176.

—— *De la Coca-Cola al arte boludo.* Santiago de Chile: Editorial Metales Pesados, 2009.

Camnitzer, Luis, y Gabriel Pérez-Barreiro, eds. *Educação para a arte Arte para a educação.* Porto Alegre, Brasil: Fundação Bienal do Mercosul, 2009.

Camnitzer, Luis. "In Latin America: Art Education Between Colonialism and Revolution". *Art School: (Propositions for the 21st Century)*, edición de Steven Henry Madoff. Nueva York: MIT Press, 2009, pp. 204-215.

—— "Introdução". En *Educação para a arte Arte para a educação*, edición de Gabriel Pérez-Barreiro y Luis Camnitzer, pp. 13-28. Porto Alegre, Brasil: Fundação Bienal do Mercosul, 2009.

Camnitzer, Luis, y Rachel Weiss. *On Art, Artists, Latin America, and Other Utopias.* Austin: The University of Texas Press, 2009.

Camnitzer, Luis. *Didáctica de la liberación. Arte conceptualista Latinoamericano.* Montevideo, Uruguay: Editorial Hum, 2008.

—— "The Archeological View". En *It's Not Neutral*, edición de Joxean Muñoz, Luis Camnitzer, y Eugenio Valdés Figueroa. Donostia/San Sebastián: Tabakalera, 2008, pp. 26-32.

—— "Weltkunst, Tacit Understandings, and the

Archaeological Gaze". En *Face to Face*, edición de Hans-Michael Herzog y Katrin Steffen. Zúrich: The Daros Collection, 2008, pp. 99-131.

—— Conceptualism in Latin American Art: Didactics of Liberation. Austin: The University of Texas Press, 2007.

—— "Between Feedback and Activism". En *Blanton Museum of Art: Latin American Collection*, edición de Gabriel Pérez-Barreiro. Austin: Blanton Museum of Art, The University of Texas at Austin, 2006, pp. 21-29.

—— *New Art of Cuba*. 1994. Austin: The University of Texas Press, 2003.

—— *Arte y Enseñanza: La ética del poder*. Madrid: Casa de América, 2000.

—— *Los San Patricios*. Ciudad de México: Museo de Arte Carrillo Gil, 1993.

—— *Latin American Spirituality: The Sculpture of Juan Francisco Elso, 1984-1988*. Cambridge: Massachusetts Institute of Technology (MIT) List Visual Arts Center, 1991.

—— "An art of Secular Mysticism: The Legacy of Juan Francisco Elso Padilla". *New Art Examiner*, noviembre 1990, pp. 28-30.

—— "The Eclecticism of Survival: Cuban Art Today". En *The Nearest Edge of the World: Art and Cuba Now*, edición de Rachel Weiss y Gerardo Mosquera. Boston: Polarities, Inc., 1990, pp. 18-23.

—— *Telarte: Fabrics by Cuban Artists*. Westbury: SUNY College at Old Westbury, 1990.

—— "Ana Mendieta". *Third Text* 3, n.º 7 (verano 1989), pp. 47-52.

—— "Between Nationalism and Internationalism". En *Signs of Transition: 80's Art from Cuba*, edición de Coco Fusco. Nueva York: Museum of Contemporary Hispanic Art and the Center for Cuban Studies, 1988.

—— *Convergences*. Nueva York: Lehman College Art Gallery, 1988.

—— "The Politics of Marginalization". *New Art Examiner*, verano 1988, pp. 13-14

—— *Luis Camnitzer*. Montevideo, Uruguay: Ministerio de Educación y Cultural, Museo Nacional de Artes Plásticas, 1986.

—— *Luis Camnitzer: Uruguayan Torture*. Nueva York: Alternative Museum, 1984.

—— "Art Education in Latin America Bypasses Cultural Identity Problem". *New Art Examiner*, septiembre 1980, pp. 30-33.

—— *Art in Editions: New Approaches*. Nueva York: Pratt Center for Contemporary Printmaking, 1968.

Cazali, Rosina, Luis Camnitzer, y Emiliano Valdés. *Luis Camnitzer: Ideas Para Instalar*. Antigua, Guatemala: Centro de formación de la Cooperación Española, 2009.

Chhangur, Emelie, Luis Camnitzer, Hans-Michael Herzog, y Adrienne Samos. *Humberto Vélez: Aesthetics of Collaboration*. York, Reino Unido: Art Gallery of York University, 2013.

Colo, Papo, Luis Camnitzer, y Jeanett Ingberman. *The Hybrid State*. Nueva York: Exit Art, 1993.

Valdés Figueroa, Eugenio, y Luis Camnitzer. *Intersections: After Lautréamont*. Miami: CIFO Art Space, 2015.

Luckow, Dirk, y Luis Camnitzer. *Luis Camnitzer: Werke von 1966 bis 2003*. Kiel, Alemania: Kunsthalle zu Kiel, 2003.

LIBROS DE ARTISTA

Camnitzer, Gabo, y Luis Camnitzer. *Himno Internacional*. Montevideo, Uruguay: El Espejo Enterrado and Este Arte, 2016.

Camnitzer, Luis. *Last Words: Luis Camnitzer*. York, Reino Unido: Information as Material, 2017.

—— *Annotations: Anotações*. São Paulo, Brasil: Irek Edições, 2015.

—— *Teachers Guide: Under the Same Sun: Art from Latin America Today*. Nueva York: Guggenheim Museum Publications, 2014.

Camnitzer, Luis, y Karin Steffen. *Eco: Cinque scritti morali (A Fragment)*. Leipzig: Spector Books, 2013.

Camnitzer, Luis. *The Disappearance Of*. St. Louis: Kranzberg Book Studio, Sam Fox School of Visual Arts and Design, Washington University, 2012.

—— *Memorial*. Wiesbaden, Alemania: Museum Wiesbaden, 2011.

—— *Stampa 7*. Basel, Suiza: Galerie Stampa, 1974.

—— *Project 75: A Collective Work of the Camnitzer—Hickey—Joffe Family*. San Francisco: Blurb, 2017.

PRESENTATION
JOSÉ GUIRAO CABRERA
MINISTER OF CULTURE AND SPORT

With links to the deeply rooted modernist tradition that seeks to expand the operational field of art, Luis Camnitzer has over the course of his career forged a complex and multifaceted artistic and discursive proposal that, among other things, has highlighted the need to rethink the role of artists and museums. His practice also engages in critical reflection on the relationship between the center and the periphery in the art world, confronting—and confronting us with—the arbitrariness of language and social conventions, or trying to reveal the strategies used by power to impose its logic and perpetuate its dominion.

In the opinion of this artist, arguably one of the main figures behind the development of Latin American conceptualism, art's great potential, like Borges's Aleph, is that it fosters an expansion of knowledge and allows us to imagine solutions that help to shatter existing limitations and broaden the sphere of the sayable and thinkable. "The artwork, if that is what it claims to be, ought to teach us something," he writes in "The Museum is a School," the opening essay in this catalogue, where he also stresses that the value of such an artwork will depend on the projections it is capable of causing. On this premise, Camnitzer proposes that the artist should not be seen as a mere author or producer but as a "cultural agent" whose task is to place his or her work at the service of the common good. At the same time, he advocates involving the spectators in the creative process, leading them away from the field of passive consumption to situate them in that of knowledge.

Since the start of his career in the mid-1960s, when he founded the legendary New York Graphic Workshop together with José Guillermo Castillo and Liliana Porter, Luis Camnitzer has always attached central importance to the educational value of art (which Walter Benjamin saw as its most important value). In a way, the assumption and vindication of that centrality has made his artistic practice inseparable from his theoretical production and his curatorial and educational work. All these facets of his work are imbued with the idea that what really makes an artwork interesting is not its technical qualities or its purely aesthetic values but its capacity to challenge and affect us, urging us to seek the poetic through our own devices. It is in that capacity, Camnitzer argues, where art's critical and transformative potential lies.

Hospice of Failed Utopias, the retrospective exhibition dedicated to him by the Museo Reina Sofía, is a great opportunity to discover and explore the multilayered and always incisive and lucid work of Luis Camnitzer. He is unquestionably a fundamental figure in the contemporary Latin American art scene, not only because of the crucial role he played in the emergence and spread of so-called Latin American conceptualism, but also because of the considerable influence of his critical revision of the official historical narrative of Conceptual Art, and of his more recent theoretical proposals for integrating artistic thought in the educational system and redefining the social function of museums and art schools.

LUIS CAMNITZER:
HOSPICE OF FAILED UTOPIAS

MANUEL BORJA-VILLEL

DIRECTOR OF THE MUSEO NACIONAL
CENTRO DE ARTE REINA SOFÍA

Over a career spanning more than five decades, Luis Camnitzer has rigorously conducted his multifaceted artistic research on the potentialities and servitudes of art, focusing on the use made historically of aesthetic creation as an instrument for the legitimization and normalization of hegemonic discourses, but also on the possibility of reversing such instrumentalization and using it as a tool for social and political transformation.

In his artworks, writings, and educational and curatorial projects, Camnitzer departs from the premise that art should not be conceived as a means of expression but as an attitude or way of thinking—"the freest there is"—that allows us to challenge pre-established labels and categories, critically confront the perception of complexity, and imagine nonconsensual alternatives and responses that would ultimately contribute to the common good and the construction of community.

In his essay "The Museum is a School," Luis Camnitzer points out that it is not when an artwork shows us something we already know that it fulfills its purpose, but when it is capable of providing us "a glimpse not only of something we do not know, but of something that—at least for the moment— is unknowable." In other words, against the hegemonic concept of art as the production of objects and situations that end up on the market, what Camnitzer proposes is to regard it as a "transformative cultural act," an open and experiential process of learning that permits us to enter the field of the unknown, of what is yet to be said and done.

"The museum is a school: the artist learns to communicate; the public learns to make connections." This installation-text, devised in response to a disagreement with a museum director who had rejected his educational proposals for an abstract art exhibition, is an almost haiku-like synthesis of his theory of the pedagogical potential of art, the social function of museums, and the relations they are bound to maintain with their public. The theory, formulated in essays like *Conceptualism in Latin American Art: Didactics of Liberation*, has been put into practice by the artist in various ways both in his own work and in his capacity as pedagogical curator for events like the Mercosul Biennial and the exhibition *Under the Same Sun: Art from Latin America Today*, held at the Guggenheim in New York in 2014.

Luis Camnitzer believes that if art is to fulfill a transforming function, it is essential to involve the public actively in the creative process. This public should not be seen as a homogeneous mass but as a polyhedrous and complex entity comprising "various levels of education, diverse cosmovisions, different cultural backgrounds" and oftentimes conflicting "interests and socio-economic conditions." Artists and museums should take this diversity into account and work dialogically with it, assuming the effort of displacement such work demands as a central aspect of their practices. In other words, they should decide who they wish to aim their messages at, and find the best way to do it. Camnitzer therefore thinks it crucial to bring the debate on accessibility to the forefront, questioning our stance and allegiance toward the "tacit understandings" that determine our relations with artistic products.

One of the main objectives pursued by this artist throughout his career is the generation of aesthetic-pedagogical projects that will help to expose and combat the elitist colonial logic still prevalent in the world of art. It is worth recalling in this context that in his conceptualist pieces of the 1960s, whether made on his own or as part of the New York Graphic Workshop, which he co-founded with Liliana Porter and José Guillermo Castillo, what Camnitzer was already doing was to propose possible solutions for specific problems, but in a way that always made the unequivocally contingent nature of these solutions clear to the viewer. Articulated by means of very varied discursive strategies, this approach has remained constant through all his work. This artist's productions thus break their own bounds, since they contain the possibility of other solutions, other artworks.

A key role in the configuration of his creative and theoretical proposal is played by his self-awareness of being a Latin American artist exiled in the capital of contemporary art. His work clearly expresses the implications of being an artist who is physically located at the center but who observes that center, and is observed by it, in a peripheral manner. From his critical espousal of this position, Camnitzer has managed to construct a radically situated practice that shows how the hierarchical relationship of the center to the periphery is spread and normalized, evidencing the need to initiate artistic, educational, and institutional actions that will unmask this relationship.

One paradigmatic example of this relationship, in fact, is precisely the relegation of this artist to a secondary place in the classic studies of Conceptual Art. Owing both to his Latin American origins and his attempts to surpass the limits of the modernist-formalist logic of the conceptual scene in New York during the 1950s and 1960s, he occupies an anomalous but undeniably important place in this field. Camnitzer has argued for a geographical and referential expansion of the notion of Conceptual Art, a term which he proposes replacing with the more generic "conceptualism." He does so on the premise that rather than a movement circumscribed to a particular historical place and time, as it has been portrayed by the dominant narrative of art history, conceptualism is a sort of global artistic tendency. Conceptual Art scenes emerging outside the United States should not therefore be seen as mere replicas of a pre-existing model, but as concrete historical realities.

When embarking on an exhibition project on a figure like Luis Camnitzer, it is essential to bear in mind that his artistic work cannot be understood in isolation from his critical production and his educational and curatorial work. Over the artist's career, these three strands have always been closely interrelated, giving rise to a heterogeneous practice traversed by a resolutely utopian drive with a markedly political quality. It should be made clear here that, for Camnitzer, the political potential of an artwork does not lie in its content but in the type of relation it establishes with the viewer, meaning its capacity to empower the public and incentivize its creativity. It is not, then, a question of making political or politicized art, but of making art politically.

In his lecture "Fraud and Education," Luis Camnitzer uses a quotation from Andrea Fraser to explain what making art politically means for him. It is "art that consciously sets out to intervene in (and not just reflect on) relations of power," including the "relations of power in which it exists." To create the contextual conditions that would facilitate and encourage this way of understanding and confronting artistic creation, Camnitzer regards it as essential that fine arts faculties and museums should shed the disciplinary-productivist logic in which they are trapped, and accept that their task is not to teach how to manufacture products or to value their technical qualities, but to generate dynamics that, to borrow the programmatic haiku-like phrase that gave rise to one of his best-known installations, will help artists to learn to communicate and the public to make connections.

That installation is one of the works by Camnitzer included in the retrospective show now dedicated to him by the Museo Reina Sofía. Through an expository narrative that emphasizes the need to see his artistic practice, theoretical production, and curatorial and educational work as an inseparable whole, the show points out the main constants that have marked the artist's career, such as his determination to break away from the fragmentation of knowledge, his vindication of creative socialization and the educational value of art, and his critique of the automatized consensus that silently helps to shore up the discourses of power. The exhibition thus provides us with a global and contextualized overview of the multifaceted creativity of Luis Camnitzer, an artist whose contributions to conceptualist art and whose work as a historian, critic, curator, and pedagogue are fundamental for an understanding of the courses taken by Latin American art in recent decades.

CONTEXTS FOR THE EXERCISE
OF KNOWLEDGE
OCTAVIO ZAYA

Hospice of Failed Utopias is organized as a sort of retrospective that surveys the conceptualist process developed by Luis Camnitzer over nearly sixty years. This process has not been simple or homogeneous, perhaps inadvertently reflecting the nature of his own life. As an artist, essayist, art critic, curator, educator, lecturer, and creator of objects, actions, or musical compositions, Camnitzer is committed to the development of an activity that might be understood as transformational. Added to this is the fact he has always remained faithful to a concept of art as the product of reflection. His practice—whether as an artist, essayist, or pedagogue—is a characteristically intellectual process that embraces the ambiguities and arbitrariness of both language and visual images through a critique of art as a market value, of the irrelevance of the educational system, and, more recently, the demystification of the role of the artist and its obsolescence in the consumer society. In spite of it all, his work affirms the signifying function of language, the evocative power of images, and the ability of both to involve the reader and the viewer in a relationship of active participation that will ultimately lead to the liberation of a system that stifles our faculties and possibilities.

Taking these complex questions and positions as a starting point, this extensive exhibition is organized—without divisions, signs, or protocols—into three key phases or moments in the evolution of Camnitzer's artistic practices that have, over the years, transformed his work into a continual exercise of knowledge. While, on the one hand, his practice revolves around the slippage between language and meaning, Camnitzer distinguishes it from Conceptual Art. The dematerialization of the artistic object and the relationship of art to knowledge, the singular characteristics of Conceptual Art, are certainly the basis on which Camnitzer establishes his proposals, but the artist's interest is not detained or focused on self-referentiality, the status of art, or its autonomy. For him, these questions are raised as thought processes that expand toward political and social realities. The juxtaposition and combination of texts, images, and objects point to the cognitive space of the senses and of experience.[1] On the other hand, despite the importance of his achievements with these works "of language" in his early production, the artist did not seem completely satisfied with the "dematerializing"

1) As pointed out by the historian Mari Carmen Ramírez, Camnitzer emphasizes the importance of context in relation to what the artist understands as the history of "conceptualism" in Latin America. Camnitzer explains that "'dematerialization,' one of the buzzwords used to define mainstream conceptualism and made standard there by Lucy Lippard and John Chandler, is relevant but not all-encompassing. While dematerialization was certainly a factor in Latin American conceptualism (with an earlier use in Argentina), it is less useful than 'contextualization'.... Conceptualization is more dependent on ideological references to how one confronts social problems than dematerialization, and in Latin America, the choice of dematerialization follows a prior set of ideological concerns." In Luis Camnitzer, *Conceptualism in Latin American Art: Didactics of Liberation* (Austin: University of Texas Press, 2007), 4.

aspect and the hermeticism of his most political and "contextual" works, such as *Masacre de Puerto Montt* [Massacre of Puerto Montt] (1969), or *Fosa común* [Common Grave] (1969).

In the "second phase," the exhibition concentrates on Camnitzer's most declarative and evocative work, which covers what we might group under the heading of "political art." Here the artist retrieves and gives greater prominence to visual elements. We shall have to wait until the late 1970s, after the creation of *Leftovers* (1970), to find Camnitzer concentrating on his *Signatures* series, through which he addresses the critique of art as merchandise, a key theme during his spell with the New York Graphic Workshop.[2]

Until then, the most important function of images and objects in Camnitzer's work had been the evocative power that emanated from juxtapositions of objects, images, and texts. The result of this new approach is the establishment of a kind of formula in which political art is not defined on the basis of its explicit content but by the polyvalence of its linguistic and visual resolutions and registers. In the 1980s, Camnitzer produced three series on the subject of torture that are regarded as culminating points in his political oeuvre: *Uruguayan Torture* (1983–84), *The Agent Orange* (1985), and *Venice Project* (1983–86). Later works like *Los San Patricios* [The San Patricios] (1992), *El Mirador* [The Observatory] (1996), *Patentanmeldung* [Patent Application] (1996), *Documenta Projekt* (2002), and *Memorial* (2009) broadened his repertoire to make way for what is perhaps a more complex practice open to spectator participation.

Lastly, the exhibition presents the foremost of his latest production and establishes the terms that justify and shed light on the show's title, *Hospice of Failed Utopias*. The starting point is Camnitzer's educational work and what he sees as the stimulus for his most recent practice, which he develops as an exercise in the socialism of creation against a projected general political failure. Works like *Insultos* [Insults] (2009), *Crimen perfecto* [Perfect Crime] (2010), and *Utopías fallidas* [Failed Utopias] (2010/2018), as well as series like *Cuaderno de Ejercicios* [Assignments Book] (2011–17) and *Von Clausewitz* (2016–17), emphasize the communicability and evocative power of such ideas. While we might on the one hand join the artist in affirming that the important thing in these works is helping to spread knowledge and exploring alternative orders, what they in fact achieve is an affirmation of the notion that art and education—understood not as teaching but as learning, speculation, questioning, challenging, discovery, and the collective task of facilitating knowledge—are practically the same thing. To paraphrase Carl von Clausewitz, the army officer who theorized modern military doctrine, the fact that we cannot give these concepts any higher degree of distinction is of no importance, since we cannot use them as philosophical definitions to found any class of proposition.

But what links these interests and complexities to a *hospice*? Are we to understand this "hospice of failed utopias" as the reflection of the artist's practices? Is it something to be deduced from his career, or does it project a vision that encompasses the complexity of his discourses?

Just under four years ago, in 2014, Luis Camnitzer wrote to me suggesting *Hospice of Failed Utopias* as a possible title for this exhibition.[3] The title was supposedly related

---

2)   See Beverly Adams's essay "Towards Total Art: Luis Camnitzer as Educator/Artist" in this publication, pp. 271–277.

3)   Until very recently, the agreed title was "Hospice for Failed Utopias." But I suddenly started to use "Hospice of Failed Utopias" in our correspondence.

to the making of a bronze plaque like the ones seen on the doors of law firms.[4] Besides being very happy at his suggestion and what I then saw as the result of his habitual sarcasm or irony, which others misinterpret as cynicism, I assumed that Camnitzer was familiar with the "dark" history of the so-called Sabatini Building, though we never discussed the matter. Camnitzer has always been characterized by his enormous curiosity for facts, those realities laden with significances, histories, and cultural symbols.[5] So much for the question of the "Hospice."

> It seemed more appropriate to me to use "of" than "for," although this distinction of necessity no longer involved a concept of the world but an exhibition only. It was Ursula Davila of the Alexander Gray Associates Gallery in New York, a colleague of ours whose assistance was essential to me in researching the selection of works for this exhibition, who solved the matter by clarifying that although both grammatical forms are correct, it is intention that determines the choice of "for" or "of." "For" indicates function, while "of" implies a preposition of content. Camnitzer agreed. From my point of view, this "Hospice," which could be a reflection of the world, was not devised or suited "for failed utopias." Camnitzer's exhibition, on the other hand, does make us reflect on these matters.

4) The plaque forms part of the series *Utopías fallidas* [Failed Utopias] (2010/2018), which the public will encounter suddenly and unexpectedly in the corridors and rooms of the museum.

5) Those familiar with the history of Madrid know that the land occupied by the Museo Nacional Centro de Arte Reina Sofía was the place chosen in the sixteenth century, under the reign of Felipe II, to centralize all the hospitals dispersed around the Court. During the reign of Felipe III, these buildings were used to set up the Albergue de Mendigos, a hospice for beggars. Further buildings were added until the reign of Carlos III in the eighteenth century, when the Hospital General de San Carlos was constructed to designs by the architects José de Hermosilla and Francisco Sabatini. The hospital opened in 1781, and until 1831 its basements housed the Royal College of Surgery of San Carlos. From that year until its closure in 1965, it came under the authority of Madrid's provincial council. After remaining derelict for several years, restoration work began on the building in 1980, and the former hospital was converted into the Centro de Arte Reina Sofía.

The "failed utopias" are rather more complex, since they refer not only to our modern history but also to the contemporary history in which we are all involved. The apparently ambiguous, paradoxical, and unresolved character of Camnitzer's work does not seem sufficient for definitive or conclusive affirmations. Fortunately, Camnitzer has also written, and continues to write tirelessly, and it is thanks to these writings that we can trace the history of his disenchantment, the reasons for his disillusionment, and his unshakable hope. In a talk he gave at the Museo de Bellas Artes in Caracas on the occasion of the exhibition *Intervenciones en el espacio* [Interventions in Space] (1995), the artist confessed he had always been intrigued by the static concept of perfection, the utopia, since basically "it is something that denies itself."

> I am interested in a utopia, but not a boring one. Therefore, utopia can't be perfect, and, if it's not perfect, it can't be utopia. I like to define utopia as a process through which one seeks perfection, where perfection, like a mirage, constantly grows distant at the same speed one believes oneself to be nearing it. Something similar to the revolution in the revolution.[6]

And a year later, in the catalogue of the sixth Havana Biennial (1997), he came up with one of the most brilliant reflections in his liberating thought:

> We are witnessing a global movement toward disarticulation and destabilization of communal structures that aims

6) Luis Camnitzer, "The Two Versions of Santa Ana's Leg and the Ethics of Public Art" (1995), in Luis Camnitzer, *On Art, Artists, Latin America, and Other Utopias*, ed. Rachel Weiss (Austin: University of Texas Press, 2013), 206.

at the inoperativeness and destruction of the notion of the "we." It is the "we" that served as the basis for class awareness, for labor conquests, for students' militancy, for searches for cultural identity, for a fight to achieve a better society. With the disappearance of the collective "I," the individual is being privatized, isolated, reified, and emptied. Effective resistance is eliminated and fundamentalist chauvinisms act as shells to cover up anonymity.

To maintain memory, to remember "we," is one of the weapons that slows down the process. Constant demystification of virtual realities is another one. Without them we become flooded with prefabricated memories or imprisoned by the distortions of romantic nostalgias. Resistance, however, remains possible only if we keep the awareness of utopia alive—the utopia of survival, starvation as a transitory period, the impossibility of defeat, the usefulness of art, and not utopia as a perfect, final, and frozen product. It is utopia as a flux, as an endless process and a precise direction. It is the utopia of the shared "we," an uncompromised "I," our possession of memories, the maintaining of an ethic, the disappearance of exile. It is the utopia of the individual, assumed, proud, and unforgotten.[7]

It seems clear, then, that the "failed utopias" of the title do not refer to the possibility of utopia or to an egalitarian, democratic, and representative social system. On the contrary, the fundamental axis that has failed is the so-called liberal democracy, which continues—at least in Europe, Latin America, and the United States—to

open the way naturally and progressively for authoritarian, totalitarian, and fascist regimes. We talk of the failure of communism and socialism, two twentieth-century experiments that had to face constant attacks, both explicit and clandestine, from the supposed Western democracies. And now that the "enemy" is vanquished, though not extinguished, the supposed democracy that styles itself the "Utopia of the Times," the "End of History," and the goal of our illusions and desires has removed its masks (those of Reagan and Thatcher, Clinton and Blair, NATO, the EU, Bush, Aznar, Berlusconi, Netanyahu, Obama, Rajoy, May, Merkel, Putin, and Trump) to flaunt not only its failure but also "the futility of the future," "the end of utopia."

As we all knew, though most people ignored it or looked the other way, democracy was never fully realized anywhere, not even with the minimum requisites implied by its principles.[8] That is the great failure of so-called Western civilization, and that is the hospice that Camnitzer shows us unequivocally, though in most cases surreptitiously and tangentially, in this exhibition, which is really both an exercise in awareness-raising and a bitter decrial of what Luis de Góngora would doubtless call the "infamous horde of night birds [of fascism]."

Indeed, the *context* in which we must analyze Camnitzer's work after 1980 is the neoliberal system, developed and unmasked progressively and clearly ever since. This is the world we live in, determined to raise barriers and walls to separate off the corrupt and rotten fortress that was created to safeguard "Western culture" from the assault of the hungry and the dispossessed. It is a system designed to benefit only a few—

7)   Luis Camnitzer, "The Forgotten Individual" (1996), in *On Art, Artists, Latin America*, ed. Weiss, 118–19.

8)   For further information, see Okwui Enwezor et al., eds., *Democracy Unrealized: Documenta 11, Platform 1* (Ostfildern-Ruit: Hatje Cantz, 2001).

extremist, bellicose, and imperialist—that has displaced the ideal and promise of a democracy—still considerable even if not real—for a politics in which authoritarian education has been made a central element. Especially in this digital era, the super-abundance of information, "fake news," and the lack of honesty, respect, and solidarity have consolidated this system under the influence of corporate power and big business, which operates in the service of the lie, of male chauvinist nationalism, of racism, of homophobia, of xenophobia, and of an all-out attack against critical consciousness and social and public values.

As the American thinker and professor Henri Giroux points out in a recent article, "the role of education in producing the formative cultures in and out of schools necessary to support critical thinking, civic courage, and critically engaged citizens appears to be disappearing."[9] Words that express the truth and ensure the responsibility of power are in retreat, while lies become the norm and the relations of citizens to truth are ignored or treated with contempt, both by governments and by the so-called Justice (as in the cases of the United States under Trump, Spain under Rajoy, and the United Kingdom under Theresa May, to cite but a few). In its place, Giroux argues, neoliberalism since the 1980s has transformed regulated education at every level into a site for indoctrination into the preeminence of market values and the imposition of commercial relations as a model governing the whole of social life:

Increasingly aligned with market forces, public and higher education are mostly

primed for teaching business principles and corporate values, while university administrators are prized as CEOs or bureaucrats in an audit culture.[10]

Education, and the role that Camnitzer proposes for it in this publication, nevertheless comes together with the course he has followed throughout his long and versatile career to situate us in another reality, a heartening and participative space of creation and learning:

My utopia is an egalitarian and just society, classless and creative, where power is equitably distributed. To engage in the process of this utopia, I need education to be creative and to help to create, and I need what we call art to be educational and to generate learning. So the accent in education is not on transferring information but on learning how to access it. And where art is concerned, it doesn't lie on the object called an "artwork" but on the processes that its presence generates in the viewer, and on how it transforms individuals, giving them independence in their own creativity without forcing them to continue consuming what I do as an artist. Art and education, then, are almost the same thing.[11]

It is perhaps to alert the public to this that we have chosen to place his work *On War* (2016–18) at the end or the beginning of the exhibition, depending on where one chooses to start from. Camnitzer here refers to the five volumes on military strategy that were written by von Clausewitz at the start of the nineteenth century, and are still in use to-

9) Henry Giroux, "Education as a Weapon of Struggle: Rethinking the Parkland Uprising in the Age of Mass Violence," *CounterPunch*, March 26, 2018, n.p., https://www.counterpunch.org/2018/03/26/education-as-a-weapon-of-struggle-rethinking-the-parkland-uprising-in-the-age-of-mass-violence/.

10) Ibid.

11) Luis Camnitzer, correspondence with the author, 2017.

day as fundamental texts at military academies.

I was always interested in the process of appropriation that occurs during reading (or at least in my reading), when you extract quotations that suit you and discard the ones that don't, leading to the rewriting of other people's books in a form of co-authorship that is transparent if not entirely honest. Von Clausewitz was an honest soldier endowed with a certain compassion, and he sometimes used irony to underscore certain points. I can't quite remember why I decided to read it. It must have been some quotation that intrigued me. But I do know that we're returning now to nationalist fragmentation of the most reactionary kind, with authoritarian governments that I like to call "plutocratic clownocracies" (the kleptocracy is implicit to this), all within the context of a kind of neo-feudalism where the arms trade is fomenting new military confrontations. It's from this perspective, with the danger of confrontations occurring both inside and outside nations, that a new reading of this emblematic text awakened my interest.[12]

On War, which Camnitzer produced specifically for this exhibition, has never been shown before or set up as an installation. At first, then, it was not entirely clear to the artist how it would be resolved on-site, but he knew he wanted to create an overwhelming atmosphere where even if not all the texts were read, a fragmentary reading would reflect the general spirit. "The quotations are confronted with images from Google Maps of the places where the United States has military bases in Latin America, which puts the focus on the continent that most interests me for biographical reasons. Some evocative objects are also added, and I hope they enrich the installation."[13]

Camnitzer is well aware that education has the capacity in our neoliberal societies to become not only a propaganda instrument for inculcating authoritarian and regressive convictions but also a means of preventing and castrating the population's ability to form ideas, beliefs, and alternatives aligned with justice, freedom, and critical thought. For many people, it is also clear that we have reached a point in the history of modernity where historical conscience and utopian thought have parted ways irrevocably. Our present therefore strikes us as obscure and opaque, "because it cannot be connected either to a past from which it derives its difference or to a future from which it draws its orientation."[14] The utopia of which Camnitzer speaks is nevertheless liberating because he has abandoned the illusion that comes of imagining utopia as a determined totality. He is obviously conscious that all the utopias of modernity were easily transformed into dystopian nightmares. What we are faced with in any case is the need to trust and believe once more. For Camnitzer, I think, it is a question of opening up the field of possibility and recovering the critical discourse in education and art.

12) Luis Camnitzer, correspondence with the author, 2018.

13) Ibid.

14) Nikolas Kompridis, *Critique and Disclosure: Critical Theory between Past and Future* (Cambridge, MA and London: MIT Press, 2006), 248.

THE MUSEUM IS A SCHOOL

LUIS CAMNITZER

Some years ago, I spent a time working for a museum as its pedagogical curator. Once, when an abstract art exhibition was being organized, the educational team and I suggested mixing the works in the exhibition with interactive abstract situations. At first sight these situations would appear to form part of the show, but they would immediately be recognized as educational exercises. An illustrative example—not my own idea but other people's—consisted of magnetic panels on which the public could move geometrical shapes around and experiment with their own compositions. When the director saw the proposals, he remarked in considerable irritation, "This is a museum, not a school!" Thoroughly annoyed, I left. Back home, I sat down at the computer and made a montage of the façade of the museum. On it I added the following words, which looked as though they had been painted across several floors: "The museum is a school: the artist learns to communicate; the public learns to make connections." I emailed the result to the director, and soon after tendered my resignation.

The montage was both self-therapy and revenge. While I was making it, I unexpectedly discovered that I liked it as a piece, since it synthesized many points of interest to me. I put more thought into it, and the work eventually finished as a text with the following conditions:

First: any museum that agreed to put the text on its façade would use the official typeface of the institution, and would therefore commission its own designer to compose it.

Second: the museum would produce a postcard with the text on the façade to be sold in its shop.

Third: the postcard would be an official museum postcard, not a reproduction of an artist's work (in this case, mine).

Fourth: my name would appear as the copyright holder, not as the author of a work of art.

This renunciation of authorship may sound like professional suicide on the artist's part. Nevertheless, the work's importance had nothing to do with the issues of personal promotion generally associated with artistic production. The text on the façade and the postcard constituted publicity for a contract established between the institution, the artists, and the public. It meant the museum is not there to promote a scale of prefabricated values and the mercantilization of art, but to offer a space for communication between artists and public. Rather than to refine visitors' consumption habits, it is there to help them think for themselves. In short, it was a utopian project.

Put crudely, the artwork I proposed is an infiltration and subversion. I drew up a contract that in fact allows the public to sue the museum if it perceives that it's not fulfilling the mission it is announcing. I don't know what a judge would do if faced with the accusation of the museum's fraudulent advertising. Moreover, I also fear that the public would never become sufficiently organized to confront a museum with an accusation of this type. Never mind. The artist can only try.

Unexpectedly, the work was a great institutional success, although I am not sure the desired results were achieved. It has been executed by more than twenty museums to date, and six have it in their permanent collections. We shall never know how far the public use of the text rises above hypocrisy, and whether or not the façades are merely a progressive mask hiding the fact that nothing has changed. With very few exceptions, museums are generally organized in a rigid internal structure that is very hard to alter, formed as it is by social castes. At the top is the board of directors, which makes sure funds are available. Next comes the curatorial team, and in third place the educational team. The latter actually does public relations work to increase circulation numbers in the museum and justify increased funding. Last of all comes the security and cleaning staff, those people that have neither names nor faces.

My work was first installed in 2011 at the Museo del Barrio in New York. The museum had good curatorial and educational teams, but they were not fully integrated in a common mission. I see little change today in the integration of departments, even though it has become very fashionable over the last decade to speak of an "educational turn" in the arts. This turn is more connected with relational aesthetics and art dedicated to the social services than with the institutional transformation of museums, where the society of castes and untouchables remains largely unperturbed. Many art curators think they are carrying out educational work merely by offering artworks to the public, while the educational team is not really prepared to perform erudite curatorship. Aside from a understandable concern for bureaucratic interests and survival, the blame for this division does not really lie with individuals but with the institutions that educated them, and with a structure of falsely fragmented and specialized knowledge. All of them were trained to function inside their categories, not to escape them. The situation has become the norm within the various levels corresponding to the museums, the artists, and the public.

In 1950, Marcel Duchamp decided to authorize the reproduction of the industrial urinal he had declared an artwork in 1917. In 1993, a French artist, Pierre Pinoncelli, went to an exhibition where one of the authorized reproductions was on display, and urinated in it. When he was taken to court for vandalism, he argued that the item shown was not the original and was therefore valueless, and furthermore that the piece was obviously made to be urinated in.[1] If we discuss artistic value, besides the issue of whether a work is an original or a copy, questions also arise on whether the artwork should be accessible or not, exactly what it is that should be accessible, and then also for whom it should be accessible.

The underlying theme of museums, then, is accessibility. Answers to these questions are generally based first on a count of the physical circulation of visitors, whose numbers may affect the financing of institutions, and in the second place on the popularity of the reproductions of certain works. Access is thus measured by quantitative indices that have to do with consumption, not with the transformation brought about in the consumer.

But then, what is access precisely? It is the imprecision of the concept that makes it necessary for the museum to assume its function as a school. Museum activities are based on the tacit understandings that visitors presumably share. It's true that we understand each other, but only broadly so. There

1) Leland de la Durantaye, "Readymade Remade," *Cabinet* #27 (Fall 2017), http://www.cabinetmagazine.org/issues/27/durantaye.php.

are tacit understandings that unite us and differentiate us from other cultures, even the market leaders like the Anglophones and Asians, while many others are eluded even within one and the same culture. I may admire an African tribal sculpture, but all I end up appreciating is the form and whatever I can attribute to it. And if the tribal artist sees Duchamp's inverted urinal, he may not know what it is for, or see that it is inverted, or even share any pleasure in the form of the object. In short, he would not understand why that prefabricated object is considered a fundamental work in the history of contemporary Western art, a lack of understanding also shared by our next-door neighbors.

Duchamp's fundamental achievement with his readymades was to demonstrate that art does not have to be limited to the manufacture of products. Although craftsmanship is still one of the possible means, thanks to him one may make art "by designation," an expression of the fact that something was not art until declared as such, and now it is. Today's known object may be unknown and re-known in a different context, and then reveal something new. The little scandals still raised today in those circles with least access to our artistic world are probably largely based on anecdotal and narrative details. For them, functionally it remains a urinal, even if out of context, and continues offending the same as other people's urine. The possible insult has nothing to do with the important redefinition of art, or with the enlargement of the artistic field, with which Duchamp changed the attitudes of the twentieth century. And this is because the change only affects the tacit understandings within the small spheres of those who appreciate contemporary art.

This leads us to consider what the use of art is. In the eighteenth century, Kant had already defined art as something without function, serving no practical purpose. This is a definition that to an extent still reigns in the Western, capitalist world. If the artwork has any use—let's say as a dress, or sitting on, or pouring coffee—then we are not in the presence of art but of design. When we direct our attention toward an artwork, we have certain expectations, even if they are hazy. We know, or think we know, when something is not art rather than when it really is. The word presumes the existence of a tangible body for something that turns out to be a vague and intangible experience, and to some point one that depends on consensus. At another time and in another society, my phrase "the museum is a school" would not be accepted as a work of art.

Inasmuch as we are outside of the artistic process (meaning we do not participate in experiencing its making), we tend to celebrate how well made an artwork is, what it tells us, and whether we like it because it makes us feel good. We do not realize that not only are we restricting ourselves to an appreciation of the "gift's wrapping," but we are also ignoring that this is the point where our own creative process begins. We are therefore left without an understanding of what exactly is being given to us. We are unaware that what we are admiring is nothing more than the level of craftsmanship, confirming our taste while we ignore the tasks the work demands from us. As a result, we have somebody else's list of admirable craftspeople and impeccable decorators. However, nobody in these lists earned their place in art museums only because of these achievements. Something is lacking. In other words, in this interrupted vision we are not learning anything new and only confirming what we already know. This doesn't deny the possibility of admiring well-made things, or the use of good taste. However, because these factors don't contribute to knowledge, they belong to the secondary level of instrumentalization.

In general terms, then, the accent would lie on the fact that we are learning nothing from all this, whereas the artwork, if that is what it claims to be, ought to teach us something. That is another difference between art and design. In both fields we seek a certain coherence of meanings. A picture by Rembrandt is a cloth, and as such could be a picture that is at the same time also used as a towel. It could be a perfect painting, and a rather less than perfect instrument for drying ourselves. Nevertheless, these two identities or actions do not complement each other. That Rembrandt would be a multifunctional object that changes according to how we use it, making it inconsistent in itself. I mention Rembrandt on purpose because Duchamp used him as an example to illustrate the idea of a "reciprocal readymade." He suggested using a picture by Rembrandt to make an ironing board.[2] He had previously defined the urinal as an "assisted readymade" because an object had been turned into art. Here the reverse is the case. By turning the picture into an ironing board, the "art" function would be eliminated from the painting. With both the urinal and the Rembrandt, we move into messages. In our example of the towel, we would maintain both functions, and with their separation we would be sending two different messages.

If Rembrandt's picture is not a towel, implying that it has no practical purpose, then what is it beyond a pigmented cloth that represents something? What makes an artwork interesting is not that it presents us with something we know, but that it confronts us with something we do not. As long as it is able to maintain the tension of that confrontation over time, the work retains its importance. With this criterion, we take art—or rather, viewers—out of passive consumption and place them in the field of knowledge.

This move seems to simplify things, since art suddenly acquires a certain tangibility. If we learn something, even if only that we didn't know it, then everything is fine. If we don't learn anything, then it isn't. Learning is not necessarily a matter of concrete data, of information we did not previously possess, since for that we have classrooms, television, newspapers, and, for those most audacious, even libraries. There is an interesting word here: "mystery." It refers precisely to something unknown, in certain ways attractive, but not orderable by means of reason or logic. It occurs the moment we have a glimpse not only of something we do not know, but of something that—at least for the moment—is unknowable.

The problem is that we all have different amounts of knowledge. The ability to provide or suggest new knowledge might therefore enable us to say that an artwork is useful to measure our degree of ignorance. Art as an "ignorance-meter" does not sound like a very good definition. While it might justify the idea of the museum as a school, it entails the untenable but common notion that ignorance or the acquisition of knowledge can be quantified. "The museum is a school" would end up becoming an anti-utopian phrase, and would refine even more the image of the museum as a reflection of neoliberal capitalist society.

The phrase also raises the question of who makes up the public that art is aimed at. We always talk about the public as if it were a homogeneous mass, even though we know there are different degrees of knowledge or ignorance. We do the same thing when we talk about students as though they were a homogeneous group of people. Among students, however, there is one level of knowledge

2)   It is interesting that when the *Mona Lisa* was brought from the Louvre to the Metropolitan Museum in New York in 1963, Macy's department store sold towels with a reproduction of the painting.

in the first year at primary school and a completely different one shortly before finishing a doctorate. Yet all are students. The word denotes an activity, as do "pedestrian" or "drug addict," but it anonymizes people and has nothing more to tell us. In the case of the "public," the word massifies, ignoring the fact that there are various levels of education, diverse cosmovisions, different cultural backgrounds, and interests and socioeconomic conditions that are often in conflict among themselves. This confronts us with the dilemma of deciding which level of knowledge to address. We have to ascertain what we take for granted as a common platform when we add something new to it, and what type of transformation we achieve with that addition.

To unify all this into one platform of consensus, we would have to find a common denominator where differences disappear, or at least where they have no effect on the possibility of connecting with the artwork. However, this common denominator would impoverish the artwork by reducing the aspects it can touch upon. Averages tend to eliminate subtleties, and the result would have to limit itself to a very general and schematic problem.

When I was studying sculpture at the Escuela de Bellas Artes in Montevideo, we managed after a long struggle to change the curriculum and rid ourselves of a large number of teachers. Among them was the art history professor. Year after year, this gentleman would repeat exactly his lectures, always limited to antiquity, while we wanted to come to grips with contemporary art. To soften the message of his being fired, we told the professor that he was no good for us, since he had oversimplified the whole history of art. For him, art was about only two things, in his own words: Eros and Thanatos, love and death. The professor's surprised and pained response was, "But,

what else is there?" Using the analogy of a zoom lens, we might say that the professor's lens was permanently set at a focal length that showed him to be right. In the meantime, we were set at a very different length, perhaps equally inflexible but more complex and difficult. We were more interested in *learning* than in the possibility of being right.

It is the focal length we give the zoom lens that determines what is particular and has to be in focus, and what is more general and blurred. In our use of language, we very often come up against this difference in focal length. Added to this are indoctrinations centered on the concepts of nation and religion that filter out some pieces of information while highlighting others. We have needs artificially created by the manipulation of fashion and the urge to keep up with it to display status or to create or avoid social exclusion. Ideologies are other lenses that try to organize everything so that beliefs can be shared. They succeed once they are internalized and consensus is established. Nobody doubts, for instance, that we need a job to be able to survive, or that the goal of life is to succeed. And yet it is because of that very unquestioned attitude that we accept that the reason for studying is to get a good job. We do not study to become mature and constructive members of our communities, or to be able to contribute to the improvement of collective life. We accept that we must compete in order to succeed and show that we are better than the rest, which is the same as saying that the others are worse than us. This, in turn, pushes us into aggressive and negative activities disguised as a quest for personal achievement.

It is obvious that love and death are two sufficiently broad and generally shared themes to give us a common denominator, but they are a little hackneyed, and they are certainly not the only ones there are.

We might add war, famine, and a dozen others that are just as general. At the other extreme, we find aspects that we presume to be general and biologically conditioned but are actually internalized cultural products. For example, black, white, and red are perceived as colors in a relatively universal manner, with an appropriate nomenclature in most languages. In general, nearly all languages describe warm colors with greater precision than cold ones. Nevertheless, it has been discovered that Western, capitalist society identifies several types of blue while the members of the Amazonian tribe of the Tsimané do not. We live with countless products that have, or can have, this color and various others, and such variety allows us to choose between different versions of the same product. We use color to differentiate. For the Tsimané, blue refers first and foremost to the sky, and since there is only one sky, there is no need for color differentiation or a corresponding nomenclature. Another study found that certain optical illusions like the Müller-Lyer arrows, which appear to be longer or shorter depending on the way their tips are pointing, function in some cultures but not in others.

In Western culture, influenced by the values of industrialization and postindustrialization, we presume that our way of perceiving things is shared by everyone. We do not realize that we are generalizing a hegemonic vision. It is an internationally invasive vision, since it tries to unify consensus by employing a one-way flow of information from the financial and cultural centers. It is also nationally hegemonic, since the one-way flow of information that tries to create a local consensus comes from the dominant classes.

When we talk of a "school," both in the sense of the normal school system and in my attribution to the museum, we are referring not only to knowledge but also to the distribution of the power that controls that knowledge and creates and exploits certain tacit understandings, both inclusive and exclusive, that serve to reaffirm some interests and combat others. The generalization of the idea that art is based on love and death, as invoked by my professor, is dangerous because it excludes other possibilities. Moreover, the idea implicit in the very widespread notion that art is a universal language that transcends geographical borders is a problematical one, since lurking beneath the appearance of an idealist pacifism is commercial imperialism. The museum tends to reaffirm such things, while as a school it helps to question them.

When it was in fashion, Latin was an instrument used to homogenize and expand the European world. When Ludwik Zamenhof invented Esperanto in 1887, he did so to make it easier for peoples to understand one another. Today, it is hoped that the English language will unify the world into a great commercial market. No matter whether the intention is military, idealistic, or commercial, dialects are always formed in the end, and homogenization is thus broken. The universal language has its uses, but it cannot cope with the subtleties of the local.

In art, then, the situation is similar to that of spoken languages. In a few letters, words synthesize a whole process of forming meanings that come from an accumulation of knowledge and beliefs. That is why every time a language dies, it is not only its words that are lost but also the whole cognitive process that generated them. This is irretrievable knowledge, since in most cases it is untranslatable or impossible to re-experience. When this is applied to art, it is not that we do not understand what other cultures do, but that some products may be inaccessible owing to cultural barriers and a lack of tacit understandings. Artworks are often understood incompletely and to different degrees. Within my own culture, I can read a treatise on the theory of relativity and understand the language it is written in, but I still have no clue what I am reading about because I do not have access to the reasonings and understandings it is based on. When it is popularized, it becomes a little easier, but not that much. And this is the same as the example of Duchamp's urinal for those who do not share the tacit understandings that serve as its context. The acceptance of the urinal as part of the world history of contemporary art can therefore be seen as a symptom of colonization rather than the documentation of a historic achievement, unless the context and conditions that generated the work are also transmitted. If the museum is a school, it should not limit itself to displaying works but ought to share the conditions that generated them and made them inevitable and essential.

Many years ago, I was involved in a discussion with the teachers of a school in Petare, the poorest and most violent suburb of Caracas. I was there as part of an artistic education activity aimed at schoolchildren, for the purposes of which a philanthropic foundation had sent out reproductions of the works in its collection in an attempt to raise the cultural level of the students. One of the teachers asked us point blank, "Why should we look at a picture by Picasso if Picasso didn't paint for us and didn't even know we exist?" I am still haunted by the question because it echoes the famous one on existing and perceived realities: if a tree falls in the forest and nobody hears it, how can we assert that either the sound or the tree exists? In other words, if there are no tacit understandings shared between Picasso (or Duchamp and his urinal) and the viewing public, then does the quality of being art exist? With absolute lucidity, the schoolteacher was accusing the foundation that owned the art collection of exercising cultural imperialism, that is, of trying to unify attitudes in order to reaffirm

a single hegemonic consensus, and of doing so without transparency or any possibility of argument.

Fortunately, the teacher caught the team at a moment when we were already making radical changes to the program, and we were able to give her an answer. It was no longer a question, as it had been until then, of presenting famous artworks because they were famous, in the presumption that a cultured person should know and memorize them to demonstrate their culture, but of seeing an artwork as a possible solution to a problem. Not just any problem, but something regarded as interesting, including a debate about its potential interest. We did not manage to answer the question about the sound of the tree falling in the forest, but at least we made it seem less important. We accepted that regardless of the absolute values that might or might not define a piece as a valid work of art, what really matters to us is the interaction with the public. The package does not end in the "artwork," but in the "artwork in dialogue with the public." Seen this way, the interaction is divided into two parts. One is communication, and the other is projection and making connections. Communication is the responsibility of the artist, who has to learn and assimilate it, as my text clearly states. Projection, whether conscious or not, is the task of the public in searching for and creating connections. The museum or school, then, is not there to help appreciate the physical qualities of objects or books, but to facilitate communication and projection.

Communication is a subject that has been fluctuating throughout history. It could mean communication with some spirit or ghost. It could consist of the reaffirmation of the interests of some patron like the church, the government, or a political party. Or it could merely be the communication that comes with the therapeutic monologue of the affirmation of the ego. There are still many artists today who declare they work only for themselves, and do not care if there is a public or not. Such solitude, of course, does not exist. The idea of "oneself" is a category occupied by all those people who are similar to us, with more or less the same education and socioeconomic position, and with neuroses similar to ours. When all is said and done, that solitary artist is no more than a mouthpiece for a fairly large group of people, and engaging in a lack of communication with the vain illusion of achieving a certain degree of originality. When art is made, there is always a dialogue. The author of a monologue listens to him- or herself, the artist-craftsperson holds a dialogue with the material, and the politicized artist talks to the masses. The other part, which complements the monologue and ensures that there is indeed a dialogue, consists of feedback. The artist listens to the echo and digests it in order to adjust the work.

When the museum creates a situation where the artist learns to communicate, it ceases to be a space dedicated to the display of the supposed wealth of its collection or a place of homage to those who finance it. Instead, it becomes a stage from which the artist is made aware that there is a public he or she is addressing, and that this involves a certain responsibility. In the days when I was still teaching, one exercise I gave my students was to write a headline for a newspaper with a readership of a million. This put the student in a situation of responsibility. It was no longer any good to write "I woke up today with a headache" or "I'm enjoying the sunshine in my garden," since it had to be a headline that had some effect on the reader. This is a kind of responsibility that these days is unfortunately disappearing. If we look at social networks like Facebook or Twitter, we see they act like Narcissus's mirror. In the relationship between a museum-school and the artist-communicator, there is a balance of responsibility established. The museum thus has a clear mission, and the artist has a function with a certain focus.

This reveals various purposes seldom studied correctly. For example, what is politicized art for? What does it really communicate? With few exceptions, it serves to satisfy the artist's conscience or to publicize his or her personal opinion, and neither possibility is of much interest to the public. It can also serve to solidify the opinion of a group of people who are already in agreement and need an iconography. Or, more interestingly, it can be useful for converting those who hold the contrary opinion and getting them to adopt the position considered important by the artist. Each of these options requires its own solutions and precise forms of communication that go far beyond an instinctive primary impulse. When we talk to someone, it is preferable to choose the right vocabulary for that someone. The same is true of art. Communication has to be correctly aimed, in the sense of appealing to shared tacit understandings and using them as bridges. If not, art ends up becoming unintelligible or patronizing. It could be said that the politics of an artwork is not to be sought in its content, but in the type of relation it establishes with the viewer.

One favorite saying of mine when I was an art student was that if an artwork could be explained, then there was no need to make it. In its most basic form, this means that if the artwork is exhausted through an act of narration, then there was no need to use a non-narrative medium to make it in the first place. The moral, which I believe to be correct, is that the medium used has to be the perfect medium for what one is trying to do. It cannot be a substitute that ultimately becomes redundant and merely illustrative.

In 1964, in an ironic approach to this problem, the artist León Ferrari wrote a long text entitled *Cuadro escrito* [Written Painting], which gave a minute description of a picture he never had any intention of painting. The interesting thing about his project was neither the narrative nor the imaginary picture, which incidentally was of no artistic interest. The important thing here was that Ferrari was "painting" in the viewer's imagination and transferring his obsession for detail to the mind of the reader. Describing with words is what really happens every time we look at an artwork and try to give it a sense by finding the "reason" behind it and by organizing it when we cannot see a clear principle of organization. To begin with, the viewer's notion that the work is or is not explainable places the full responsibility on the artist. A viewer who has it explained (or not) is a passive recipient. Through looking at the work and making sense of things, the initiative is passed on to the receiver of the artwork. It is only at that point, we might say, that the work is completed. The sound of the tree falling in the forest comes to life when it ceases to be only a sound and becomes a sound that is heard. In this way, even without realizing it, the listener becomes the co-author.

Narrative as explanation brings other problems with it besides those already mentioned. In an essay written in the 1980s, the Jamaican cultural theorist Stuart Hall remarks on how our internalization of a language makes us think we are authors of the message, whereas in reality the true author is language itself. Language has an ideological charge that uses us as unconscious mouthpieces.[3] Expanding on this idea, one might say that ideology, the lack of the control attributed to the author, infiltrates the explainable parts of the artwork. It affects the content in descriptive figurative art, and art in general rests fully on public consensus. The most interesting art could be said to be the kind that manages to challenge this consensus rather than confirm it. Such an art forces us to examine the contradictions established between language as a site of power and the artist who wants to assume this power.

In discussions of how we relate to art, there is never much support for this notion of co-authorship, even though it is in fact an action implicit in the experience of everything we do from the moment we first hold an opinion. There is often talk of participative or interactive art, but the decisions here are actually taken beforehand by the artist, and the participant's freedom is minimal. The artwork is completed by the person receiving the information, who then follows the orders. If we are told what opinion to hold, co-authorship diminishes even more, or may be annulled. When a museum displays its objects dogmatically, reaffirming the reigning aesthetic and ideological canon rather than helping us to review the canon critically and disentangle ideological tensions, then it is denying us co-authorship. And yet when we revise the works that make up the history of art, we project ideas and emotions onto these objects that are based on our assumptions in the present and not on what really happened in the past. We accept the connections that we believe to be appropriate, even though we make our own. Ultimately, the present value of an artwork lies in what it allows us to project onto it. If the work does not permit projection and does not stimulate us to make connections from any ideological position, it eventually disappears from history. If there is only projection but no artwork, the co-author turns into author. But if there is art that allows

3) Stuart Hall, "The Rediscovery of 'Ideology': Return of the Repressed in Media Studies," in *Culture, Society and the Media*, ed. Michael Gurevitch et al. (London and New York: Routledge, 2005), 68.

projection, then it must also be determined, on a larger scale, who controls that projection, how power is distributed, and what interests that power is serving.

On the smaller scale of artistic production, the artist controls the viewer's projection to the extent to which artistic communication might be hermetic and inaccessible, and therefore closed, or explicit and exhaustible in its narrative. The museum, in turn, controls projection by means of what we might call a promotion of idolatry or the sacralization of the artistic "object." "Object" is in quotation marks here because it also can be an intangible artistic situation, or because the artist as author and producer is sacralized instead of defined as a cultural agent. Both forms of control translate into guidelines and references, since there is no way to tie down the viewer. In extreme cases, what we witness is the disempowering of the public, finally reduced to passive consumption.

Whatever the museum and the artist do, we are in a situation that is politicized by their relation it. This politicization has little to do with political content. There is art with a left-wing political narrative that can be placed on the ideological right due to the forms it uses and the way these are circulated. I would say that any political monument, whether it represents a progressive left-wing politics or a right-wing conservativism and neoliberalism, is culturally aligned with the right. On the other hand, there are works with no political content that empower the public. The emphasis on an artwork's class of political ideology thus falls on the way in which the projection of the public is administered. If the public learns to make connections, it is assumed that these are the result of independent projections that first reaffirm co-authorship and afterward, ideally, lead to total authorship on the part of a viewer who was initially passive and easy to manipulate.

This whole discourse was made possible by the comment of a museum director I disagreed with. One never knows where things will end. If I had to explain why the application of the phrase to a museum façade is art, I wouldn't know how. In part, this is because the word "art" by now serves only itself. Although I come from a generation that believed in utopias, it is obvious that the word "utopia" shares the same problem. These are words that try to organize and stabilize, if not freeze, dynamic processes that self-destruct as soon as they are pinned down. Both the artwork and the utopia as a conceptual work are nothing more than provisional and transitory closures and formalizations of much more important processes that transcend them. And transcending them is the truly utopian task.

HAPPY ANACHRONISM:
LUIS CAMNITZER, CONCEPTUAL ART, AND POLITICS
PETER OSBORNE

*If the subject is no longer able to speak directly,
then at least it should ... speak through things,
through their alienated and mutilated form.*
—Theodor Adorno, *Aesthetic Theory*, 1970

I would say again that I'm a leftist of the 1950s.
—Luis Camnitzer, 2014

The work of Luis Camnitzer occupies an anomalous yet increasingly important place within the field—we might better call it the "problematic"—of conceptual art.[1] Despite having produced (English-)language-based conceptual works dating back to 1966, during his early years in New York—in the home, and on the cusp of the self-consciousness, of Conceptual Art as a canonical Northern movement; Sol LeWitt's "Paragraphs on Conceptual Art" was published in 1967—Camnitzer is missing as an artist from the standard historical surveys of conceptual art, in even the more extended forms that

have appeared since the late 1990s.[2] Similarly, Camnitzer's work is still largely uncollected by major art institutions, with the exception of the Daros Collection in Zurich.[3] Individual works have for some decades been scattered liberally across museums, internationally, museums that the artist—reappropriating in his imagination an institutional process over which he lacks control—considers himself to have been "collecting."[4]

This imaginary collection is in part a response to the contradictory and unstable situation in which the enduring "publicness"

1) I use the term "problematic" here substantively, as a noun, in the sense familiar from the French philosopher of science Gaston Bachelard (1884–1962), to refer to a conceptual space that makes possible both a certain set of problems and a range of associated solutions. See Patrice Maniglier, "What is a Problematic?," *Radical Philosophy* 173 (May–June 2012): 21–23, https://www.radicalphilosophyarchive.com/article/what-is-a-problematic. In this respect, rather than being an object of fixed definition, "conceptual art" is best conceived as the ongoing historical product of the emergence to self-consciousness, in various times and places, of a field of problems about the conceptual character of art, articulated, developed, and transformed through a series of related experimental, critical, and artistic "solutions."

2) Shamefully, this includes my own, in the Phaidon series Themes and Movements in Contemporary Art: Peter Osborne, ed., *Conceptual Art* (London: Phaidon, 2002; Spanish edition, 2006)—even though its narrative was influenced by the *Global Conceptualism* show at the Queens Museum of Art that Camnitzer curated along with Jane Farver and Rachel Weiss in 1999. *Global Conceptualism: Points of Origin, 1950s–1980s*, exh. cat. Queens Museum of Art (New York: Queens Museum of Art, 1999). In what follows, I use the phrase "conceptual art" (lowercase *C* and *A*) to refer to works produced within the general problematic of the self-consciousness of the conceptual character of art. Such art may be emblematically traced back to Marcel Duchamp. I use the phrase "Conceptual Art" (uppercase *C* and *A*) in a more restricted sense, to refer to those canonical works of its first self-designating moment of critical self-consciousness as a movement, in the United States and Europe, 1967–72, associated with a restricted set of particular critical-theoretical and artistic solutions.

3) See *Luis Camnitzer*, ed. Hans-Michael Herzog and Katrin Steffen, exh. cat. Daros Museum, Zurich (Ostfildern: Hatje Cantz, 2010), the catalogue to the Daros Museum exhibition of Camnitzer's work, 11 March–4 July 2010.

4) See Luis Camnitzer, "My Museums" (1995), in Luis Camnitzer, *On Art, Artists, Latin America, and Other Utopias*, ed. Rachel Weiss (Austin: University of Texas Press, 2009), 112–16.

of works comes not only with the dispossession of the artist as its condition but also the
repossession of the work within the terms
of an institutionalized private ownership,
which opens onto an uncertain future. As
Camnitzer expresses it:

> What will happen to not-anymore-con-
> temporary art in so-called contem-
> porary art museums? The fragility of
> the ownership link can become very
> threatening, especially when the flimsy
> nature of the institutions and their as-
> sumptions become clear.[5]

Here, the prospective threat provokes a
kind of revenge fantasy—of the artist on
the collector—whereby the relationship of
ownership is reversed and the museum finds
itself collected by the artist, as if itself con-
fined to a vitrine.

This is a characteristically Camnitzeri-
an conceit, in which an autobiographical
tale (here, of collecting and being collected) takes on, in turn, at successive levels of
generalization, the character of a parable,
leading to what is effectively a self-contained art idea: the collection of museums.
An experience of relative exclusion—of
being outside the core of the international
gallery-collector-museum network, while
nonetheless entering into occasional relations with it, having migrated to its "center" (New York); of being physically located
within this center yet viewing it and being
viewed by it "peripherally"—is used as a
privileged standpoint from which to understand and comment upon the system. This
understanding is not primarily theoretical
in intent, but practical. It is orientated toward the production of an art that takes its
situation into account and addresses it, as
an aspect of the work, without losing track

of its own historically conditioned and indi-
vidually developed rationale and forms.

"Anomalous yet important," I have suggested; important because of *the ways in
which* it is anomalous, would be a better way
of putting it. There are principally two: its
exilic Latin American (specifically, Uruguayan) lineage—producing a geopolitical
displacement of the canonical Western discourse of the conceptual in art—and a practical and critical basis outside of the problematic of formalist-modernist reduction, in
an experimental expansion of graphics into
the field of a generic "art."

There is something distinctively "Latin American" about the structure of the
self-narration of "My Museums," for example; not in a culturalist sense (since Latin
America does not exist, except as a collective aspiration to a certain regional political
autonomy), but in the historical form of its
literary self-consciousness: an artistic self,
constructed through an ironic narrative of
dispossession, both literal and allegorical;
an exilic self-consciousness for which such
stories offer a kind of compensatory parallel
reality. One can imagine this figure of "the
collector of museums" in a story by Jorge
Luis Borges, for example, or by Roberto
Bolaño. Borges, whose "way of thinking,"
Camnitzer has remarked, "is embedded in
the collective thinking of the intellectuality
of the Southern Cone to the point that one
doesn't even have to read him."[6] Although
Camnitzer continues to, of course. Bolaño,
who internalized Marcel Duchamp's practice of the readymade into the very structure
of the historical novel in his five-part *2666*,
"as both conceptual means and narrative
content," making it as much a part of the
contemporary novel as it is of contemporary

---

5) Ibid., 115–16.

6) *Luis Camnitzer in Conversation with / en con-
    versación con Alexander Alberro* (New York:
    Fundación Cisneros, 2014), 62.

art.[7] Duchamp, whose way of thinking is embedded in the collective thinking of the intellectuality of the art world to the point that one doesn't even have to view him, one might say.

Borges and Duchamp come together in Camnitzer's early works in which printmaking becomes the means for the passage of a literary-philosophical consciousness into objects that are at once as much concepts as they are things. Conceptual objects: form stripped bare of its mediums, even. There is a distinctive conceptual tone here, which is as much the product of a directness of address derived from the simplicity of the physical materials out of which the works are made as it is of their linguistic modes: a kind of "color" to the thought gleaned from a muting of the color of objects.

Camnitzer's works enact a dissenting shadow history to the critically hegemonic Conceptual Art of the United States, United Kingdom, and Europe. His critical writings expound a more expansive alternative to the latter's theoretical frameworks. His recent educational-curatorial projects insert the pedagogical left politics of Latin America in the 1950s and 1960s into the situation of the institutionalization of institutional critique, which characterizes post-1990s globalizing art events.[8]

SHADOW HISTORY

I was an artist who used printmaking (if I so wished) rather than a printmaker who made art (if I could).
—Luis Camnitzer

Across Camnitzer's art practices of the last fifty years, there is both an extraordinary consistency and a measured rhythm of development as they have responded to changes in their conditions. This has produced a clearly recognizable artistic identity to the work that uses the relationships between language and objecthood to produce a distinctive dynamic within the work that has its own temporality: a certain marking of time (of historical time) that allows a certain taking of time, a making of time within the work that enables the viewer to take their own time with it. None of these works will be hurried into being understood. There is no instantaneous grasp. It is there from the beginning in *Sentences* (1966–67) and *Envelope* (1967), for example, in a time produced by their enigmatic combinations of linguistic address with graphic clarity and material simplicity, creating reflective meanings through experiences of objects that somehow still manage to elude the viewer's secure grasp. In the case of the *Adhesive Labels* version of *Sentences*, for instance, it proceeds by way of the straightforward gesture of exhibiting a sheet of printed labels in a New York Graphic Workshop "mail exhibition," under the title of *Sentences*. What exactly is going on here? The gesture is so unobtrusive, so muted, as to be almost invisible. Yet it contains each of the elements the constant rearrangement of which will characterize Camnitzer's practice, in different, expanding modulations for years to come.

Something new is produced by the relationships between a specific use of language

7) John Kraniauskas, "A Monument to the Unknown Worker: Roberto Bolaño's *2666*," *Radical Philosophy* 200 (November–December 2016): 38, https://www.radicalphilosophyarchive.com/article/a-monument-to-the-unknown-worker.

8) The increasingly event-like character of temporary exhibitions in the globalizing art world is stressed in Terry Smith, "The Doubled Dynamic of Biennials," keynote lecture, Busan Biennale Symposium, November 2013, previously available online at www.globalartmuseum.de, March–April 2014.

(the sentence), its graphic form (the printing), its material bearer (the sheet of labels), its context (the exhibition), and the way in which these relationships are condensed by the title, *Sentences*, into a unitary whole and projected into the space and mode of attention of art—in that generic, collectively singular sense of the term "art" that exploded into the New York art world in the early 1960s. In the context of the expectations of a New York Graphics Workshop exhibition, it is the relationship between the simple descriptive phrases on each label and the title of the work that drives interpretation. (Entitling it *Labels*, for example, would have reduced the work to a commercial graphic genre, coding the words as mere examples of their printed form; an "art" reading of which would raise it to the status of a tautology, at best.)

The sentence, as a grammatical form, strictly speaking is neither "proposition" nor "statement" (logical forms more familiar within early Conceptual Art),[9] though it may convey them. A sentence is rather a certain kind of verbal completeness, a set of words that is complete in itself. Typically, dictionaries tell us, it contains a subject and a predicate. But most of the sentences in *Sentences* are not typical sentences. "A perfect circular horizon." lacks a predicate—the full stop at the end alone preserves its completeness; as do eight of the nine sentences on the sheet of labels exhibited in the 2010 Daros Museum show. Yet they are sets of words— descriptive phrases—that are complete in themselves nonetheless. "A perfect circular horizon" is a sentence as complete as the circle its thought transcribes. As complete, or self-sufficient, as the separateness of each label posits them to be. Like the Romantic fragment, whose form they surreptitiously

adopt, these works play with completion and incompleteness, the use of physical and lexical closure to create semantic openness.[10] Their logic is at once poetically imagistic and part of a practice of *bricolage*, which undercuts any reductively linguistic interpretation of the work, insofar as its elements include the material cultural forms of printmaking (papers, inks, settings) as parts of its artistic materials, beyond their function as mere carriers of its aesthetic dimension. In fact, it is useful to turn to Claude Lévi-Strauss's account of bricolage in *La Pensée sauvage* [*The Savage Mind*] (1962) to help us to understand the dual constructive and cultural logic of what might be thought of as the studied artistic amateurism of the early Camnitzer's conceptual art.[11]

In the first chapter of *La Pensée sauvage*, "The Science of the Concrete," Lévi-Strauss gives an account of what he calls "mystical thought" as "a kind of intellectual bricolage."[12] At the same time, he associates what he called "the intermittent fashion for 'collages,' originating when craftsmanship was dying" with "the transposition of 'bricolage' into the realms of contemplation" in twentieth-century European culture. He thereby implicitly connected bricolage to the montage-like constructivist logic of the

10) For a reading of Sol LeWitt's "Sentences on Conceptual Art" (1969) as a crossing of the Romantic fragment with the informational series, see Peter Osborne, *Anywhere or Not At All: Philosophy of Contemporary Art* (London and New York: Verso, 2013), 53–69.

11) Accounts of amateurism in early conceptual art have tended to focus on the notion of de-skilling. See, for example, John Roberts, *The Intangibilities of Form: Skill and Deskilling in Art After the Ready-made* (London and New York: Verso, 2007). Less attention has been paid to its intrinsic relations to the structure of the production of a work, insofar as it differs from conventional or professional norms in the use of technologies and established techniques.

12) Claude Lévi-Strauss, *The Savage Mind* (London: Weidenfeld & Nicolson, 1966), 17, 21.

9) The early work of Joseph Kosuth is primarily associated with "propositions"; that of Lawrence Weiner with "statements"—paradigmatically his collected *Statements* of 1968.

nonorganic work of art (insofar as collage is a model of the nonorganic work), simultaneously linking the latter (without comment), via its common structure, to "mystical thought." (The Surrealist inflection of the concept of combination in French structuralism makes itself felt here.) However, rather than exploring the fertility of this connection for a then-still-emergent post-Surrealist conception of art, in *La Pensée sauvage* Lévi-Strauss took a step back to a conventional location of art as lying "half-way between scientific knowledge and mystical or magical thought," thinking of it as "synthesizing" their properties.[13] This might appear conducive to a conceptual view of art insofar as science is identified with "the concept," giving unity and a universal, lawlike meaning (structure) to a sequence of events. Yet this topological construction of art's "betweenness" suspends it in an analogical space that is too contradictorily and indeterminately posited—and too immanently conservatively "aesthetic"—to provide a guide to the specificity of its practices. Rather, I propose that we read Camnitzer's conceptual art as itself a practice of bricolage (with printmaking as a kind of collage)—taking my cue from Sol LeWitt's famous claim that "Conceptual artists are mystics rather than rationalists. They leap to conclusions that logic cannot reach."[14] This suggestion is reinforced by the pervasiveness of the Surrealist heritage of collage in the Latin American context, in both literary and visual culture.

Lévi-Strauss describes the bricoleur as:

someone who works with his hands and uses devious means compared to those of a craftsman.... [T]he rules of his game are always to make do with "whatever is at hand," that is to say with a set of tools and materials which is always finite and is also heterogeneous because what it contains bears no relation to the current project ... but is the contingent result of all the occasions there have been to renew or enrich the stock or to maintain it with the remains of previous constructions or destructions. The set of the "bricoleur's" means ... is to be defined only by its potential use or, putting this another way and in the language of the "bricoleur" himself, because the elements are collected or retained on the principle that "they may always come in handy." Such elements ... each represent a set of actual and possible relations: they are "operators" but they can be used for any operations of the same type.[15]

What is this but a description of the construction of a nonorganic, and in part conceptual, work of art? The creations of the bricoleur, Lévi-Strauss continues, always "consist of a new arrangement of things," whereby "an alteration which affects one element automatically affects all the others." These constructed arrangements "speak" to the viewer, not just through their explicitly linguistic element, but through the articulated unity of their elements as a whole. As such, Lévi-Strauss argues, they function as *signs* within which *images* and *ideas* coexist.[16] Signs that are also *things*, we may add. Indeed, signs that "speak" *as* things, we may say, following Adorno's account of the artwork as "a thing that negates the world of things,"[17] which is to say, a *subject-thing*.

13) Ibid., 22, 25.
14) This is the first of LeWitt's "Sentences on Conceptual Art" (1969), in *Conceptual Art: An Anthology*, ed. Alexander Alberro and Blake Stimson (Cambridge, MA and London: MIT Press, 1999), 106–8.
15) Lévi-Strauss, *The Savage Mind*, 16–18.
16) Ibid., 20–21.
17) Theodor W. Adorno, *Aesthetic Theory*, trans. Robert Hullot-Kentor (Minneapolis: Minnesota University Press, 1997), 119.

In collage, it is the disjunctive possibilities of bricolage that are exploited. Each relation is a displacement. In Max Ernst's famous surrealist definition, collage is "the coupling of two realities, irreconcilable in appearance, upon a plane which apparently does not suit them ... the plane of non-agreement"; a coupling that functions in such a way as to bring forth "an illusive succession of contradictory images, double, triple, and multiple images, piling up on each other."[18] In this respect, Camnitzer's earliest conceptual works are collages of language and objecthood, the irreconcilability of the realities of which is staged as a problem to which each work is simultaneously a specific solution. (One approaches the problem from the solution, rather than vice versa. The problem, once comprehended, reveals the contingent particularity of the solution, which the structure of the problem exposed by the work always exceeds. As such, the work always points beyond itself to the possibility of other solutions, other works.)

The decisive moment in Camnitzer's *Sentences* comes with the one label on the sheet of nine in the Daros show, quite different from all the rest, containing two "typical" sentences, with a subject and a predicate: *"This is a mirror. You are a written sentence."* One may read this as a humorous extended inversion of the logic of René Magritte's most famous work, from 1928–29, *The Treachery of Images* (*This is Not a Pipe*). If "this" (the printed label) is indeed a mirror—and you are looking into it, and it is looking back at you—then "you" the viewer must be "a written sentence." And in fact, "you," qua viewer—reflecting on the idea that the printed label is a mirror, and consequently that you are a written sentence—are indeed brought into being as the dialogical partner of the

work by its interpellation of you as "you," via a written sentence. "You," the viewer, are indeed mirrored in the work, by the printed "you," acting as the "I" of the utterance of the work, which calls you into being as the addressee of the work. This always reversible I-You relation is what the French linguist, Émile Benveniste, called "the correlation of subjectivity."[19] Through this correlation, the viewer is inscribed within in the work as its dialogical partner, and inversely, at the same time, internalizes the work into their own reflective subjectivity, as part of their self-consciousness of the reflective process it initiates. The difference between the viewer and the work is thus staged as a dialogue in which each is internalized to the other—mirrored—in a production of self-consciousness through a dialectic of recognition in which the artwork plays the role of the second subject (*subject-thing*).[20] The work may thus be seen to enact, to play out, the paradigmatic dialogical structure of both subjectivity and communication as such.

The purely or ideally linguistic form of the communicational dialectic set off by this pair of sentences—"This is a mirror. You are a written sentence."—is indifferent to the qualities of their material instantiation, on a printed label. However, the semiotic, indexical character of the "this" insists on its referential function with respect to the material and aesthetic specificity of the work. The disjunction between these two "irreconcilable realities" of meaning and materiality is rendered visible by a multiplication of different material instantiations

18) Max Ernst, *Beyond Painting* (1936) (New York: Wittenborn, Schultz, 1948), 13–14.

19) Émile Benveniste, "Relationships of Persons in the Verb" (1946), in *Problems of General Linguistics* (1966), trans. Mary Elizabeth Meek (Coral Gables, FL: University of Miami Press, 1971), 195–204.

20) For the structure of the dialectic of recognition between consciousnesses, see G. W. F. Hegel, *Phenomenology of Spirit* (1807), trans. A. V. Miller (Oxford: Oxford University Press, 1977), ¶¶ 166–96.

of the work. *"This is a mirror. You are a written sentence."* comes in a variety of material forms—on an adhesive label from *Mail Exhibition #1* of the New York Graphic Workshop (p. 59); as an aluminum plaque set horizontally in front of a mirror; set as a sign, without punctuation, on vacuum-formed polystyrene (p. 93); and so on. Its semantic ideality crosses them all, but it is played out materially and situationally, and in its completeness as a piece, in each, in a different way. The work is thus "sculptural" in its individual manifestations. It is an effect of each enactment of its linguistic structure that it constructs an embodied relational space between the viewer and its material form. In this respect, it exemplifies the postconceptual ontology of contemporary art as a unity of a multiplicity of materializations.[21] It evokes a variety of pieces from the canon of New York Conceptual Art, but in its specific combination of elements—its bricolage—it remains an outrider to them all. Its technical basis in printmaking aligns it with the disavowed Pop-typographical aspect of Joseph Kosuth's works. The sculptural self-consciousness of its use of language aligns it with Lawrence Weiner. Its focus on mirroring and reflection as at once optical and conceptual operations connects it to works by Dan Graham. Its aesthetic sensibility evokes the Duchampian works of the young Robert Morris. Its visual critique of linguistic idealism places it in a line that includes Robert Smithson's 1966 *A Heap of Language*.

One could go on. But the point is not to establish similarities, it is to remind us of a historical context of intelligibility and reception to which Camnitzer was at that time marginal, but into which it is necessary, retrospectively, to insert these earliest works. Not in order to reduce them to a context that

was for Camnitzer only partial, however close its metropolitan proximity, but rather to register the specific cultural-political difference that that proximity measures, as a condition of rendering more intelligible the works that followed. Some of those works that followed are marked by a decisive change of register, within the same constructive and conceptual expansion of the logic of printmaking as bricolage: a change of register to politics.

POLITICAL SPACE

To open an explicitly political avenue within his practice in 1969 was not a move that distinguished Camnitzer from the prevailing climate of the New York art world, as such. (The Art Workers' Coalition was founded in New York in January 1969.) However, its specifically Latin American references did. The US war in Vietnam had been a preoccupation of artists in North America since the mid-1960s (On Kawara's 1965 triptych word painting, *Title [One Thing, 1965, Viet-Nam]* comes to mind in this context), but the US state sponsorship of dictatorships in Latin America, which were creating exile communities of the kind to which Camnitzer belonged, remained largely absent from the New York art world's geopolitical consciousness, outside those communities themselves. Camnitzer, on the other hand, had been politicized in Uruguay as a teenager, in large part by the 1954 US invasion of Guatemala. By the late 1960s he was looking for ways to make the standpoint of a nonaligned Latin American leftism felt in his art.

The move toward political form in Camnitzer's art proceeded via a Duchampian architecturalization of the practice of self-referential labeling. *Living Room* began life in 1968 as a maquette, in the form

---

21) See Osborne, *Anywhere or Not At All*, 108–17.

of a Duchampian "room in a box," in which the objects on the walls and floor are represented in detail by linguistic descriptions (p. 61). The room was then constructed in a gallery space at the Museo de Bellas Artes in Caracas, Venezuela, in 1969, with the descriptions enlarged as photocopied words, to produce a literal actualization of a blueprint, through which spectators moved, as if through a room containing the denoted objects. The objects acquire a spectral presence through their denotation, giving an ironic meaning to the "living" of *Living Room*. They live in the spectators' imaginations alone.[22]

This principle was then applied to the reconstruction of the literal space of an event: *Masacre de Puerto Montt* (Massacre of Puerto Montt), installed in the Museo Nacional de Bellas Artes, Santiago, Chile, on June 30, 1969. Here, the full-scale blueprint takes on the character of a forensic aftermath—a crime scene—evidencing an act of just a few months earlier: March 9, 1969, in which police killed ten squatters in Pampa Irigoin, including a nine-month-old child. In this case, the absence of embodied or objectified presences is not merely structurally melancholy or ghostly (like *Living Room*) but explicitly deathly in its finality. The work exploits the general metaphysics of the image (its dialectic of absence and presence) to encode a relationship to specific deaths.

At the level of appearance, these pieces might seem to resemble the kind of conceptual work carried out by Mel Bochner in *Room Measurement* (first shown at Galerie Friedrich, Munich, in 1969)—another icon of New York Conceptual Art—in which the gallery space is "marked up" with lines of tapes and Letraset numbers to reveal its measurements.[23] However, conceptually it enacts the reverse process. Whereas Bochner's work moves from appearance to (mathematical) essence, as a rendering visible of geometric form, Camnitzer's moves in the opposite direction, actualizing a plan in the enlarged, life-sized replication of the plan itself. Each engages the viewer as an embodied presence within the space of the work, but in different ways. In the case of *Masacre*, the viewer is imaginatively transported into the emptied space of the massacre itself.

In *Leftovers* (1970) (pp. 110–111), a more symbolic if also ironic piece—physically, literally the leftovers from a performance piece from 1968—cardboard boxes, wrapped in fake bloody gauze bandages, stamped with the word "Leftovers" and a Roman numeral, are stacked high against a wall. An ironic response to the initial left-wing reception of *Masacre* that criticized it for the absence of bloody images. Originally, installed in the Paula Cooper Gallery in New York, the boxes were accompanied there on the other walls by descriptions of closets holding weaponry, in a continuation of the logic of *Living Room*—now, politically, a space of death. Today they appear as a more self-contained sculptural object, emphasizing the sensuous materiality of a piece that is undeniably more immediately engaging than the understated and circumscribed aesthetic dimension of many of the early conceptual objects. Yet

22) Camnitzer studied architecture in Montevideo in the 1950s, alongside art. His maternal grandfather (whom he never met) had been an architect in Germany.

23) Bochner curated what is considered by some critics and historians to be the first conceptual art exhibition in New York, *Working Drawings and Other Visible Things on Paper Not Necessarily Meant to be Viewed as Art*, as the Christmas show of the School of Visual Arts in New York in late 1966—known as the Xerox show—consisting of four "Xeroxbook" A4 folders of alphabetically arranged photocopied works, ending with the assembly diagrams for the Xerox machine itself. It is his interest in diagrams and diagrammization that aligns Bochner's practice with aspects of Camnitzer's.

it continues to function rhetorically, in tandem with the word "Leftovers," rather than simply through the expressionist aesthetic of its otherwise familiar imagery. This progression raises the question of the aesthetics—one might better say, the erotics—of Camnitzer's conceptual objects more generally.

I say "erotics" because desire, as well as disinterestedness, is always to some extent at stake here; not merely in the sense of the "castrated hedonism" of the aesthetic tradition,[24] but in the Surrealist sense in which the tension between the "irreconcilable realities" of the elements of collage is always in some respect a sexual one (the two realities, Max Ernst insisted, "will make love").[25] In Camnitzer's bricolages of word and object, this tension is mediated by the formalism of the graphics, which draw attention to the physical—almost painfully simple—sensuously self-presenting qualities of the works. In *First, Second, Third Degree Burn* (1970) (p. 66)—a work that evokes *Leftovers* with its stenciled printing, and the blood-rust brown of its branded sign, singed on paper— the words impregnate the paper through the flame. In one respect, this is a work that is as much about torture as the more conventional photo-text *Uruguayan Torture Series* (1983–84) (pp. 160–175); but in the qualities of its materiality—its invitation to touch—it also seems to be about (an insistently present absence of) love. This quietly—and at times distressingly—erotic quality pervades Camnitzer's objects, across the variety of their forms. A background nexus of displacement, loss, politics, death, and desire is exuded by the silent "thingliness" (*die Dinglichkeit*) of Camnitzer's objects. *How German is it*, one might ask—the grammar of Camnitzer's

practice?[26] Let us not forget the second layer of exile (second-wave shadow of colonialism in South America): a German child in Uruguay during World War II. Is *Uruguayan Torture* not also a repetition of torture twice removed?[27]

GLOBALIZING CONCEPTUALISM

Given the peripheral setting of the earliest works in the context of graphics and the small artistic community of Latin Americans in New York, along with the specifically South American context of the more political works, it is has been primarily through his writings and his educational-curatorial projects that Camnitzer has imposed himself on the consciousness of what remains (for now, but for how much longer?) an international art world that flows in and out of a US-European mainstream. Consciousness of Camnitzer's artistic oeuvre—and its remarkable consistency over five decades— has followed only haltingly. Yet the three main areas of Camnitzer's practice (art, critical writing, and curation) appear in their full intelligibility only from the standpoint of their interconnections.

Camnitzer's writings have performed two main functions: to present something of the distinctiveness of post-1960s Latin American art to an English-language audience, while reflecting critically on the inequality of the conditions of that reception; and to introduce a sense of an emphatically global distribution of "conceptualism" as a variegated set of locally distinctive artistic practices,

24) This is Adorno's description of Kant's aesthetics. Adorno, *Aesthetic Theory*, 11.
25) Ernst, *Beyond Painting*, 19.

26) Walter Abish, *How German Is It [Wie Deutsch Ist Es*, 1979], trans. Michael Hofmann (London: Faber and Faber, 1983).
27) Camnitzer's family moved from Germany to Uruguay in 1938, when he was one year old. His paternal grandparents and aunt died in Germany in a concentration camp.

since the late 1950s, unified not at the level of a style or a movement but by certain problems and associated structures of response—what I have called a problematic.[28] It might appear that these two contributions work in opposite directions: the one regionalist, the other globalizing. Yet they are integrally dialectically related, since it is an expansive idea of "conceptualism in Latin American art" that serves as the model for the projection of a "highly differentiated" global conceptualism, "in which localities are linked in crucial ways but not subsumed into a homogenized set of circumstances and responses to them," leading to "a multicentered map with various points of origin in which local events are crucial determinants."[29] A global perspective is thus deployed anti-hegemonically, against capitalist "globalization" as a process of economic homogenization, as a pluralizing strategy.

The Latin American standpoint is of particular importance here for two main reasons. First, because conceptual strategies are employed there, artistically (as also elsewhere, in Japan and Eastern Europe), prior to and in a manner different from canonical Conceptual Art, thereby expanding both the temporal and artistic ranges of the category of conceptual art. Second, the context and logic of these artistic strategies are primarily cultural-political—and often poetic in character—rather than more narrowly art-institutional, thereby expanding the theoretical field of their critical comprehension. The outcome of this retrospective movement of viewing Latin American art from the late 1950s to

the early 1970s, at the end of the 1990s, from the standpoint of its difference from the New York idea of Conceptual Art of the 1960s, is a general, unifying critical art-historical category of *conceptualism* that is projected not merely horizontally—onto a globalizing art world—but also vertically, historically, backwards. I have my doubts about the unintended, ironically homogenizing consequences of this totalization of the conceptual into an ism, preferring a theoretical and historical expansion of the more neutral "conceptual art."[30] But however one distinguishes the expansion terminologically, there is no doubt that we owe it to Camnitzer for having made the first and most decisive moves here; as well as for the supreme wit and dialectical ironies of his account of conceptualism in Latin American art, the decisive, liberating thought of which is that of the *non-existence* of "Latin America" as such.

Through the thought of the non-existence of Latin America, Camnitzer is able to give determinate historical-political meaning to Adorno's fundamental thought that "because art is what it has become, its concept refers to what it does not contain.... It is defined by its relation to what it is not."[31] By holding on to the Latin American idea of a "politics of liberation," as the specific form of "what is not" (yet), Camnitzer exploits the achronism of the non-existing—its dual

---

28) See note 1, above. Luis Camnitzer, *New Art of Cuba* (Austin: University of Texas Press, 1994; repr. 2003); Camnitzer et al., *Global Conceptualism* (1999); Camnitzer, *Conceptualism in Latin American Art: Didactics of Liberation* (Austin: University of Texas Press, 2007); Camnitzer, *On Art*.

29) Camnitzer, Farver, and Weiss, Foreword to *Global Conceptualism*, vii.

30) See notes 1 and 2, above. I outline a different genealogy for the category of conceptualism, focused on the internationalizing dynamics of the term "Moscow Conceptualism," in "The Kabakov Effect: 'Moscow Conceptualism' in the History of Contemporary Art," in Peter Osborne, *The Post-conceptual Condition: Critical Essays* (London and New York: Verso, 2018), ch. 12. For an alternative, more New York-based projection of a transition from "conceptualism" to "contemporary art," see Terry Smith, *One and Five Ideas: On Conceptual Art and Conceptualism*, ed. Robert Bailey (Durham, NC: Duke University Press, 2017).

31) Adorno, *Aesthetic Theory*, 3.

past and futural codings—to keep open a future that (in the manner of Walter Benjamin) he finds in the hopes of the past. Yet this future can no longer be just Latin American; it is now necessarily "global" in its scope. Through the idea of global conceptualism, Camnitzer projects a globalization of this non-existence into the space of contemporary art, as a necessarily utopian space. This utopian future finds its anticipation within the present, for Camnitzer, in the processes and practices of art as education.

EDUCATION VALUE

The educational value and the consumer value of art may converge in certain optimal cases (as in Brecht).... making possible a new kind of learning.
—Walter Benjamin, 1935–36

Art has many functions and many use-values: cult-value, exhibition-value, consumer-value, entertainment-value, connoisseur-value, heritage-value, protest-value, and, crucially, education-value.[32] The "solution-problem" structure that Camnitzer's earliest conceptual works enact aligns them, from the outset, with a pedagogical address to the viewer. This pedagogical mode of address appears as one of the three main elements framing the tradition of Latin American art more generally: politics, poetry, pedagogy.[33] In *Conceptualism in Latin American Art*, pedagogy is sharpened into a "didactics of liberation."

Over the last decade or so, however, this artistic didactics (theory of teaching) has been moderated by its dialectical partner, a mathetics (theory of learning), in a practical state, in the curation of educational projects associated with major exhibitions: the 2008 Mercosul Biennial and the 2014 New York Guggenheim show, *Under the Same Sun: Art From Latin America Today*, in particular. At the same time, this transition has been marked within Camnitzer's art by a move from what might be construed as a critique of the visual forms of a conventional art history, in *Art History Lesson* (2000), to the positive affirmation of *The Museum is a School* (2009–2018). Meanwhile, the always somewhat melancholy realism that accompanies Camnitzer's political utopianism has intensified with the growing pictorialism of his installations.

There are several things to note about this apparent curatorial-pedagogical turn. The first is that it is less of a turn within Camnitzer's general project than the grasping of new opportunities offered by the still-rapid expansion of educational programs in major art institutions. Camnitzer's work has always been institutionally self-conscious and concerned to engage viewers in a pedagogically orientated manner. There is a continuity of both project and approach from the curation of *Art in Editions: New Approaches*, at the Loeb Center at New York University in 1967, to the *Teacher's Guide* for *Under the Same Sun*, in 2014, which goes beyond the formal similarities between the covers of the publications associated with the two events. In fact, second, it is notable that for all his "ethical anarchism,"[34] "institution" never seems to have been a negative term for Camnitzer in the way in which it is taken to have been for the so-called historical avant-garde

32) Walter Benjamin's writings of the 1930s on the political function of cultural use-values (from which I have compiled this list) circle around the concept of education- or teaching-value (*Lehrwert*). See, for example, the fragment "Theory of Distraction," in Walter Benjamin, *Selected Writings*, vol. 3: *1935–1938* (Cambridge, MA and London: Belknap Press of Harvard University Press, 2002), 141–42.
33) *Camnitzer in Conversation with Alberro*, 112.

34) Ibid., 30.

of 1909–29.[35] However sanguine one may be about the interests that distort their formal missions, art institutions are nonetheless taken to be sites for transformation, places to be negotiated, criticized, and used; places of cultural possibility. What is striking, in fact, is how much of Camnitzer's political confidence about education is retained in the transition from the context of the Latin America of the 1960s to the international art institutions of the twenty-first century. This poses some problems about reception but may also, in a subtle manner, be seen as a historical strength.

The history of "institutional critique," from the 1960s to the end of the century, as an art practice, a critical discourse, and a set of institutional strategies, has long been an academic set piece, summed up and served up for new generations of art students, as one in an increasingly circular series of moments and genres: from institutional critique to the "institutionalization of institutional critique" to "new institutionalism" to (institutionalized) "deinstitutionalization."[36] Camnitzer has been at one remove from these discourses, while nonetheless participating in their problematic and its historical movement. Compare his two manifestos: the ironic "Manifesto" of 1982 ("I presume to be a revolutionary artist ...

thus I will increase my sales"), written in the aftermath of Conceptual Art, with "Manifesto of Havana" of 2008 ("I believe that the quantity of power in the universe is finite.... I believe in thinking twice before I produce art"), twenty-six years later, for example. The latter is less strident, less angry, less about the artist, more abstract, and more formal. But no less conceptual and no less, if differently, political. No less a matter of a direct address to the viewer. This is Camnitzer's political populism. Yet the context has changed. The contradictions of globalizing institutions and their expansion of the culture industry into the heart of institutionalized art make genuinely "creative socialization"—as opposed to its legitimating simulation—a much harder task to perform. Art can appear pointless beside the pressing social needs of some of the communities it tries to engage. It is Camnitzer's trick to finesse this issue with a seriousness of purpose that almost shames the institutions themselves.

In the paradoxical hospice of *Utopías fallidas* [Failed Utopias] (2010/2018), utopias keep themselves alive through the memory of the failures of the projects they defined; rejuvenating themselves, and negating those failures, through their very non-existence, a non-existence that they share, in various ways, with art: "things that negate the world of things." This is the happy anachronism of the didactics of liberation, turned mathetics of art history—the happy anachronism of Camnitzer's art.

35) Peter Bürger, *Theory of the Avant-Garde* (1974; 1980), trans. Michael Shaw (Minneapolis: Minnesota University Press, 1984). Bürger's hypothesis is more convincing in relation to Dada and Surrealism than Soviet Constructivism and Productivism.

36) Alexander Alberro and Blake Stimson, eds., *Institutional Critique: An Anthology of Artists' Writings* (Cambridge MA, and London: MIT Press, 2009); John C. Welchman, ed., *Institutional Critique and After* (Zurich: JRP/Ringier, 2006); Jonas Ekeberg, ed., *New Institutionalism*, Verksted 1 (Oslo: Office for Contemporary Art, 2003); James Voorhies, ed., *Whatever Happened to New Institutionalism?* (Berlin and New York: Sternberg Press, 2016); Bik Van der Pol and Defne Ayas, eds., *Were It As If: Beyond An Institution That Is* (Rotterdam: Witte de With, 2017).

TOWARDS TOTAL ART:
LUIS CAMNITZER AS EDUCATOR/ARTIST
BEVERLY ADAMS

Only with a total ethical inquiry covering every step of the art-making process, an inquiry not yet seriously addressed by artists or art educators, may we have a chance of developing a truly valid aesthetic for our time and environment.

—Luis Camnitzer, 1989[1]

Before I begin, I should make a full disclosure: I was president of the Luis Camnitzer Fan Club, Austin Chapter (one of his many fictitious organizations) from 1989 until about 1996, a period roughly corresponding with my time as a graduate student in the art history department and employee at the Archer M. Huntington Art Gallery at the University of Texas at Austin. My term overlapped with, and may have been a direct result of, the publication of a number of Camnitzer's critical essays in English-language journals and of his book *New Art of Cuba*.[2] His provocative writings and forays into art history became central to the understanding (including my own) and growing attention that Latin American art was receiving in the United States in the 1980s and 1990s.

By the time I started reading Camnitzer, he had a long trajectory as an artist and educator. After moving to the United States in

1964, he taught at Pratt Center for Contemporary Printmaking; co-founded with Liliana Porter and José Guillermo Castillo the printmaking collective New York Graphic Workshop (NYGW), and wrote the manifestos and statements issued by the group; in 1969 he began teaching at the State University of New York at Old Westbury, where he was also the founding director of the university's Wallace Gallery; and in 1972 co-founded the Studio Camnitzer Porter, a summer printmaking school in Lucca, Italy. In addition, he wrote regularly for the journals *Marcha* and *Arte en Colombia*, curated exhibitions, and in 1971 helped establish New York's Museo Latinoamericano and its subsequent splinter group, the Movimiento de Independencia Cultural de Latino América (MICLA).[3] Of course, through these years, he was also a practicing artist.

I say *also* because his influential production as a writer has always been considered as parallel to his artistic practice; an artist who writes about art,[4] rather than an artist whose works include writing. Through

1) Luis Camnitzer, "The Idea of a Moral Imperative in Contemporary Art," paper presented at the College Art Association meeting, San Francisco, 1989; reprinted in *Luis Camnitzer: Retrospective Exhibition, 1966–1990*, ed. Jane Farver (Bronx, NY: Lehman College Art Gallery, 1991), 48–50.

2) Luis Camnitzer, *On Art, Artists, Latin America, and Other Utopias*, ed. Rachel Weiss (Austin: University of Texas Press, 2009).

3) Camnitzer explains how these organizations were set up in response to the politics of one of the few venues in New York that exhibited Latin American art at the time, the Center for Inter-American Relations (now known as the Americas Society). See Luis Camnitzer, "Museo Latinoamericano and MICLA," in *A Principality of its Own: 40 Years of Visual Arts at the Americas Society*, ed. José Falconi and Gabriela Rangel (Boston: Harvard University Press, 2007), 216–29.

4) In the list of contributors in *Beyond the Fantastic: Contemporary Art Criticism from Latin America*, ed. Gerardo Mosquera (MIT Press and London: Institute for International Visual Arts, 1996), Camnitzer is identified as "an artist who writes regularly on art."

fifty years of market booms and busts of Latin American art in the United States, he has helped shape the field, not only as a means to provide a context for himself—a Uruguayan artist living and working in New York—but by setting the ethical standards of how we should consider Latin American art and respect its specificity. Establishing these high standards and changing how we think about art emerged from Camnitzer's interest in pedagogy, which, like his writing, is inextricable from his art production. He often describes how education in Uruguay is considered an innate right. His formation there taught him how to demand and to create thoughtful, engaged art/education. The merging of his different means of communication starts with his experience in Uruguay, with teaching providing not only the means to resist the market but also a place to invent.

Perhaps the most recognized of Camnitzer's writings during the 1980s was his essay "Access to the Mainstream," first published in June 1987 in *New Art Examiner*. In this now ironically canonical text, Camnitzer succinctly sets forth the problems of "colonial" artists in regard to the mainstream (and mainstreaming) art market and institutions in the United States. This essay was followed by "Wonderbread and Spanglish Art," which further elaborates on issues of identity.[5] Like multiples from his NYGW period, these two essays would be quoted and reprinted, translated and anthologized over the next decade. They were included in the catalogue for *Luis Camnitzer: Retrospective Exhibition, 1966–*

1990 at Lehman College in 1991, and again in Gerardo Mosquera's *Beyond the Fantastic: Contemporary Art Criticism from Latin America* in 1996.[6] In the space of the nine years between the first publication of "Access to the Mainstream" and its inclusion in *Beyond the Fantastic*, Camnitzer emerged as a leading voice and advocate for Latin American art in the United States.

It was a difficult but important moment in the formation and growth of this scholarly field. Although there were a handful of US art historians that taught twentieth-century Latin American art history, there were few qualified to develop curatorial projects (the first curatorial department of Latin American art in a US museum was not created until 1989).[7] Latin American art in the United States was again in fashion for the first time since the small Cold War market boom in the 1960s. The theory of multiculturalism was on the rise, and the United States was in the midst of culture wars at home and renewed antagonisms with Latin America. The 1980s brought a wave of Latin

5) It was first published in 1988 as "Latin American Art in the US: Latin or American," in *Convergences/Convergencias: Caribbean, Latin American, and North American*, exh. cat. Lehman College Art Gallery (Bronx, NY: Lehman College Art Gallery, 1988), and reprinted as "Spanglish Art," *Third Text* 5, no. 13 (Winter 1991): 43–48.

6) Mosquera, ed., *Beyond the Fantastic*, 218–23. The article was most recently included in Camnitzer, *On Art*, 37–42.

7) Jacqueline Barnitz taught at the University of Texas at Austin, Shifra Goldman at Santa Ana College, and Ramón Favela at UC Santa Barbara. Edward Sullivan began teaching Mexican art seminars at the New York University Institute of Fine Arts in 1991. Since the 1950s, the Organization of American States' (OAS) Pan-American Union, later called the Art Museum of the Americas, exhibited and collected art from the region. Mari Carmen Ramírez was at the Archer M. Huntington Art Gallery at the University of Texas as the first official curator of Latin American art in the United States from 1989, but the museum and the university had long collected and exhibited art from North and South America. El Museo del Barrio and the Center for Inter-American Relations, renamed Americas Society, had been exhibiting art from Latin America since the 1960s. There was also interest at institutions like the Bronx Museum and the New Museum. In spite of work done by these institutions, most of them were not considered a central part of the mainstream and they were not a unified front.

American, Chicano, and Latino exhibitions, but in ways that prompted many—most prominently Shifra Goldman—to "look a gift horse in the mouth," that is, to critique the problematic political and economic motivations for inclusion of heretofore disenfranchised artist populations.[8] "Fridamania" was in full force, as were exoticizing exhibitions, the most notorious being *Art of the Fantastic: Latin America, 1980–1987* (Indianapolis Museum of Art, 1987), which became the catalyst for and the name of a critical essay by Mari Carmen Ramírez and later Mosquera's anthology of art criticism.[9] Intransigent mainstream museums (many of which have now partially reformed) rarely recognized, collected, or exhibited art from Latin America in their galleries, and when they did, occasional works would be exhibited out of context and in random locations, like the then notorious placement of Wilfredo Lam's *Jungle* near the coat check station in the old Museum of Modern Art (MoMA) building.

Camnitzer's writing during the 1980s and 1990s established him as a leading critical voice to analyze and counteract the complicated North/South relations of power. In "Access to the Mainstream," Camnitzer puts forth a position that encouraged artists to take a stand and move away from the corrosive co-optation of the marketplace. Written from the point of view of the artist, a key passage in the article clarified just exactly what such ethical choices entailed for Camnitzer:

We live the alienating myth of primarily being artists. We are not. We are primarily ethical beings sifting right from wrong, just from unjust, not only in the realm of the individual, but in communal and regional contexts. In order to survive ethically we need a political awareness that helps us to understand our environment and develop strategies for our actions. Art becomes the instrument of our choice to implement these strategies.[10]

This powerful statement was plucked from the essay and used as cover art for the magazine, a situation both flattering (he framed the cover, thus transforming his words into a work of art) and unnerving for Camnitzer, who did not want his decontextualized quote to be reduced to a marketing tool.[11] Those of us studying at the time were reminded of what should be the driving force of our endeavors. It was a rallying cry that anchored and activated us. Camnitzer pressed for a disengagement with the mainstream market and institutions and instead advocated ethical and serious work in service of cultural change.

These ideas were put into action in the US context for the advancement of issues important to Camnitzer, from unmooring printmaking from its second-class status to prying open the closed notion of a geographically circumscribed "Conceptual Art." His insistence on the term "conceptualism," versus "Conceptual Art," gave rise to an important distinction that rooted art to specific historical realities rather than mere versions of preexisting models. In 1999, together with his close friends and frequent

8) Shifra Goldman, "Latin American Art's U.S. Explosion: Looking a Gift Horse in the Mouth," *New Art Examiner* 17, no. 4 (December 1989): 25–29.

9) Mari Carmen Ramírez, "Beyond 'The Fantastic': Framing Identity in U.S. Exhibitions of Latin American Art," *Art Journal* 51, no. 4 (Winter 1992): 60–68; reprinted in *Beyond the Fantastic*, ed. Mosquera, 229–46.

10) Luis Camnitzer, "Access to the Mainstream," *New Art Examiner* 14, no. 10 (July 1987): 20.

11) Camnitzer wrote about this experience in "The Idea of a Moral Imperative in Contemporary Art," paper presented at the College Art Association meeting, San Francisco, 1989; reprinted in *Luis Camnitzer: Retrospective Exhibition*, ed. Farver, 48–50.

collaborators Jane Farver and Rachel Weiss, Camnitzer co-organized the exhibition *Global Conceptualism: Points of Origin, 1950s–1980s*. Years later, Farver asked him to reflect on why he had wanted to do this project. Camnitzer stated that his objective was "to decenter art history into local histories and put the center in its right place as one more provincial province."[12] It was also crucial that these other areas could "do local analysis to help assume local identities that were unmolested by the hegemonic watchtower."[13] This now landmark exhibition was panned at the time as "canon reformation of the worst kind."[14] Camnitzer did much to break down the brick walls represented by this type of response and to redirect the problematic ways in which Latin American art was exhibited and received in the United States. However, he affirmed that this was never his primary purpose: "I am concerned less with publicizing Latin American art to non-Latin Americans than with refining a Latin American view of art in general."[15]

"Access to the Mainstream," "Wonderbread and Spanglish Art," as well as *Global Conceptualism* securely cast Camnitzer in the roles of ethical artist, cultural critic, and curatorial activist, but, in some ways, the enthusiastic as well as negative reception of these works somehow managed to obscure his lifelong role as educator. His goals were always different, and somewhat larger, than *just* calling out lingering colonial structures

or *just* making a respectful space for Latin American art within US institutions. A year before "Access to the Mainstream," he published "Art Education in Latin America" in *New Art Examiner*.[16] It was translated as "La educación artística en Latinoamérica trasciende el problema de la identidad cultural" in the Puerto Rican art magazine *Plástica*.[17] This was the only time the article was reprinted and therefore it did not circulate widely in the United States, but it established his concern to reinvent art education as a way to develop and sustain independent identities that resist colonialism.

The essay begins with a quote by the nineteenth-century educator Simón Rodríguez: "Nothing is as important as having a people: to shape it should be the only occupation of those concerned with social causes."[18] In the 1980s, Camnitzer began reading Rodríguez (mostly known as Simón Bolivar's tutor) and his work became central for the artist on many levels—first and foremost as reflecting the ideas of a socially engaged, innovative educator and writer; and later, as Camnitzer would argue, as a precursor of the distinct path conceptualism took in Latin America.[19] The essay ends with the assertion that art education must challenge

12) Luis Camnitzer, quoted in Jane Farver, "Global Conceptualism: Reflections," *Post: Notes on Modern & Contemporary Art Around the Globe*, Museum of Modern Art (MoMA), April 29, 2015, http://post.at.moma.org/content_items/580-global-conceptualism-reflections.

13) Ibid.

14) James Meyer, "Review: *Global Conceptualism: Points of Origin, 1950s–1980s*," *Artforum* 38, no. 1 (September 1999): 162.

15) *Luis Camnitzer in Conversation with / en conversación con Alexander Alberro* (New York: Fundación Cisneros, 2014), 108.

16) Luis Camnitzer, "Art Education in Latin America," *New Art Examiner* 14, no. 1 (September 1986): 30–33.

17) *Plástica* would also publish "Access to the Mainstream": Luis Camnitzer, "El acceso a las corrientes mayoritarias del arte," *Plástica*, no. 20 (1991): 39–46.

18) "No hay nada tan importante como tener un pueblo; darle forma debería ser la única ocupación de aquéllos se preocupan por las cuestiones sociales." Luis Camnitzer, "La educación artística en Latinoamérica trasciende el problema de la identidad cultural," *Plástica*, no. 17 (September 1987): 29.

19) Camnitzer would later use Simón Rodríguez's work as an example of conceptualism stretching back to nineteenth-century Latin America. See Luis Camnitzer's *Conceptualism in Latin America: Didactics of Liberation* (Austin: University of Texas Press, 2007), 37–43.

outdated, imported models and "take place in the context of socio-economic analysis" in order to change prevailing culture, an idea deeply rooted in his own student experiences in educational reform in the 1950s and teaching in Uruguay in the early 1960s.

In "Screaming in a Room Full of Jello," a paper presented in 1990, Camnitzer described his educational formation:

> During my years as a student in art school in Uruguay, we tried to reform our curriculum from the bottom up, implementing our ethical and political beliefs. We felt that pedagogy was inconceivable without this foundation. The reigning credo was that we didn't have the right to produce art until this right was made available to everybody.[20]

Later in this essay he defined two important ways for artists to break free from the "social web that envelops and coopts art activity"— strategies that he considered to be "good teaching," echoing the radical inclusiveness and community engagement of Rodríguez:

> One is to start expressing our communities, and to help their members express themselves, instead of focusing on the market. The other is to become individual examples, role models, of integrity.... Both strategies come very close to what I believe is good teaching.[21]

The handful of critics, curators, and art historians in the field of Latin American art in the United States wanted to change what was exhibited and taught, but Camnitzer wanted to change how we teach and learn in both the United States and Latin America. And for him, good teaching was always synonymous with good art.

Camnitzer has remarked that he became an activist, then a teacher, before having a clear sense of what he was doing as an artist.[22] Perhaps, developmentally, he acknowledged the value of one thing before the other:

> I taught printmaking, but by deconstructing the process. We made dough, flattened it through the etching press to understand issues of pressure, baked it on a hotplate to compare it to the melting of aquatint resin, then had a party. I realized later I was setting up projects to be solved, which somehow set the basis for my future Conceptualist approach.[23]

This approach to creative teaching and problem-solving was not only the basis for conceptualist methodology but also already art. And it was not the last time he would bake art. In December 1966, the New York Graphic Workshop sent a Christmas artwork to friends, family, and the art world. It consisted of a molded cookie with a photocopied manifesto describing the group's redefinition of the multiple, FANDSO, or "Free Assemblable Nonfunctional Disposable Serial Object." The manifesto included in the package stated, "The mass production of 'FANDSOs' will bring everybody the opportunity to develop their own creativity, helping remove the difference between artist and consumers. Towards total art."[24] The cookie was the perfect illustration of the group's attempt to realize

20) Luis Camnitzer, "Screaming in a Room Full of Jello," paper presented at the Mountain Lake Symposium, Virginia, 1990. Transcript in the Blanton Museum of Art archives, Registrar's Office, Artist Files.
21) Ibid.
22) Luis Camnitzer, interview with the author via Skype, January 29, 2018.
23) *Camnitzer in Conversation with Alberro*, 42.
24) Gabriel Pérez-Barreiro, Ursula Davila-Villa, and Gina McDaniel Tarver, eds., *The New York Graphic Workshop, 1964–1970*, exh. cat. Blanton Museum of Art (Austin: Blanton Museum of Art), 88.

the political and social potential of the multiple (as opposed to the flat print on paper) outside of the market. Their desire to demystify art and to educate and transform its consumers was further refined in their *Towards FANDSO* exhibition in October 1967 at the Pratt Center for Contemporary Printmaking:

> We believe all aesthetic activity will eventually be assimilated into quotidian activity, not into objects. Traditionally the value of an art object resided in its final form rather than in its creative process. We believe that the function of an artist is not to produce objects but to communicate the artistic process itself—to transform today's consumers into creative individuals.[25]

Camnitzer's concerns would find ideal platforms in the NYGW's classes, written statements, artworks, and exhibitions. His pedagogical practice, which includes his writing, merged with his artistic production.

Forty years later, in 2007, Camnitzer was invited to be the "Pedagogical Curator" for the sixth Mercosul Biennial. This position gave him an important new forum to concretize his ideas about the democratization of education and art, as well as the ability to stress the unification of these two practices. Camnitzer's paper, delivered on the occasion of the symposium for the artists and educators at the biennial, begins, "During one very unfortunate moment in history, a philistine or group of philistines in a position of power decided to isolate art from education."[26] Much like in his writings for the NYGW,

Camnitzer here posits expansiveness and inclusivity in order to bridge the gap, providing ways to foster creative dialogue and encourage what he would later call "art thinking" in everyone.[27] At the base of his approach is the insistence that art is a means for the creation of knowledge:

> [T]he curatorial team of the Biennial has redesigned the structure to underline the relationship between artist and public, to incorporate the visitor into the creative process of the artist and to start equipping the consumer to be a creator ... in other words to reclaim art as a methodology for knowledge. We wanted the stress of the Biennial to be not on exhibiting the artist's intelligence, but on stimulating the intelligence of the visitors.[28]

The programs he developed at the Mercosul Biennial were further refined during his association with the Colección Cisneros and their "Piensa en arte/Think Art" program (2009–12) and his work for the Guggenheim's exhibition *Under the Same Sun: Art from Latin America Today* in 2014.

Along with María del Carmen González and Sofía Quirós (his former partners at the Colección Cisneros), he created the teaching guide for the Guggenheim's exhibition.[29] Their program aspired to "establish patterns

---

25) Ibid., 90.
26) Luis Camnitzer, "Introduction to the Symposium 'Art as Education/Education as Art,'" in Camnitzer, *On Art*, 230. Paper first presented in Porto Alegre, Brazil in 2007 to open the international symposium of artists and educators in conjunction with the sixth Mercosul Biennial.

27) Luis Camnitzer, "Thinking About Art Thinking," in "Supercommunity," *e-flux journal* #65 (May 2015), http://supercommunity.e-flux.com/texts/thinking-about-art-thinking/.
28) Camnitzer, "Introduction to the Symposium," 230.
29) Camnitzer created the project *The Museum is a School* in 2009 to be a site-specific text installation realized on the façades of museum buildings: "The museum is a school. The artist learns to communicate. The public learns to make connections." On the occasion of the Guggenheim's *Under the Same Sun*, Camnitzer donated the project's maquette— showing the words above emblazoned on Frank Lloyd Wright's iconic inverted curvilinear pyramid— to the museum in honor of Simón Rodríguez.

of thought akin to the artist's own and avoid the risk of restricting enquiry to the concepts and forms presented directly by the artists and their works," as well as to create a "peer-to-peer relationship between artists and participants, allowing both to become actively involved in the artistic process."[30] The teacher's guide was divided into sections with problem-solving exercises coupled with questions designed to spark discussion *around* rather than about specific works of art. Those questions would then be put to the students, before even seeing art, in order to see how they might go about conceiving works (in art or in other disciplines) that could solve similar problems, encouraging them to think like artists. They would then go see how the artists had chosen to resolve them and discuss the differences.

The last page of the teacher's guide consists of series of questions in English and Spanish arranged in a grid. The format and look (unexpectedly chosen by the designer) is reminiscent of one of Camnitzer's early conceptualist works: *Sentences. Adhesive Labels* (1966–67), which engaged the power of language to create poetic images in the minds of the readers; for example: "A perfectly circular horizon." Recalling those works in 1977, Camnitzer wrote, "I thought that the verbal description of a visual situation could elicit the creativity of the spectator in a better way than the visual situation itself. Text also had the advantage of being cheaper and less totalitarian."[31] Though visually and conceptually linked, the questions in the teacher's guide are even more open-ended than his stick-on *Sentences*. "How do you make people aware of social injustices and motivate them to action? What would be the effects of poetry permeating all information systems?" These two in particular seem to be at the center of Camnitzer's multifaceted production.

For those of us who were also in the center's margins, trying to build the discipline of Latin American art history in the United States, Camnitzer was a key voice, a source of insight into the problems, pitfalls, and political importance of this task. His writing helped shape the field that was developing in small pockets and unlikely places, such as Austin, Texas. Anywhere, even nowhere, can be the center of the universe. Much more than that, through his diverse practice Camnitzer has motivated us to action and constantly invented new ways to communicate and empower, redefining and enhancing what it means to be an artist, writer, educator, and member of a community. His example challenges us to think like artists and invent our own recipes for awareness and change.

30) Luis Camnitzer with María del Carmen González and Sofía Quirós, *Teacher's Guide for "Under the Same Sun Art from Latin America Today"* (New York: Guggenheim Museum Publications, 2014), 5.
31) Camnitzer, "Wonderbread and Spanglish Art" in *Beyond the Fantastic*, ed. Mosquera, 163.

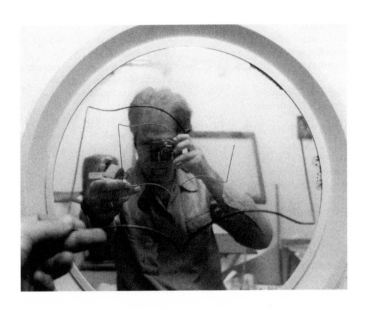

EXPOSICIÓN

Comisario
Octavio Zaya

Jefa del Área de Exposiciones
Teresa Velázquez

Coordinación de la exposición
Gemma Bayón

Coordinación en el estudio Luis Camnitzer
Ursula Davila-Villa

Responsable Gestión de Exposiciones
Natalia Guaza

Registro
Clara Berástegui
Iliana Naranjo
David Ruiz

Restauración
Paloma Calopa, restauradora responsable
Pilar Hernández
Rosa Rubio
Vanesa Truchado

Diseño de montaje
Jesús Vicente

PUBLICACIÓN

Este libro se publica con motivo de la exposición *Luis Camnitzer. Hospicio de utopías fallidas*, organizada por el Museo Nacional Centro de Arte Reina Sofía desde el 17 de octubre de 2018 hasta el 4 de marzo de 2019.

Libro editado por el Departamento de Actividades Editoriales del Museo Nacional Centro de Arte Reina Sofía

Jefa de Actividades Editoriales
Alicia Pinteño

Coordinación editorial
Ángel Serrano

Diseño gráfico
This Side Up

Traducciones
Jaime Blasco, del inglés al castellano, pp. 46-91
Philip Sutton, del castellano al inglés, pp. 235-254

Edición y corrección de textos en castellano
Ángel Serrano

Edición textos en inglés
Jonathan Fox

Gestión de la producción
Julio López

Fotomecánica
La Troupe

Impresión
Brizzolis, arte en gráficas

Encuadernación
Ramos

ISBN: 978-84-8026-576-8
NIPO: 036-18-012-5
D.L.: M-24756-2018

Catálogo de publicaciones oficiales
http://publicacionesoficiales.boe.es/

Distribución y venta
https://sede.educacion.gob.es/publiventa/

© de esta edición, Museo Nacional Centro de
Arte Reina Sofía, 2018

Los textos de los autores,
BY-NC-ND 4.0 International

© de las imágenes, Luis Camnitzer,
Madrid, 2018
© de las fotografías, sus autores

Se han hecho todas las gestiones posibles
para identificar a los propietarios de los
derechos de autor. Cualquier error u omisión
accidental, que tendrá que ser notificado por
escrito al editor, será corregido en ediciones
posteriores.

Este libro se ha impreso sobre papel Coral
Book Ivory 1.65 de 90 gr. Cubierta en cartoné
al cromo, con golpe en seco en portada, lomo y
contra, sobre el golpe una placa de latón de
75 x 20 x 1 mm, bajorrelieve impreso en negro.
Compuesto en tipos Graebenbach y Untitled
Serif. Impresión offset, 280 páginas. 17 x 24 cm

CRÉDITOS FOTOGRÁFICOS

Cortesía Archivo fotográfico Casa de las
Américas, La Habana: p. 37
Cortesía Archivo Luis Camnitzer: pp. 29, 48,
63, 64, 70, 71, 77, 78, y 80
Fredrick Brauer: p. 139
Thomas R. Dubrock: p. 181
Ivo Kocherscheidt: pp. 88, 178, 179, 180, 185,
186, 187, 188, 189, 194 (abajo) y 195
Kristopher Mckay, Cortesía Solomon R.
Guggenheim Museum, Nueva York: pp. 192 y 193
Cortesía Musac, León: pp. 204 y 205
Eamonn O'Mahony / Studioworks: p. 201 (abajo)
Eduardo Ortega: pp. 83, 190-191 (arriba)
Roberto Ruiz: pp. 214, 215, 216 y 217
Peter Schälchli, Zúrich: pp. 93, 122, 123, 130,
131, 145, 147, 148, 149, 151, 153 y 154
Jeffrey Sturges: pp. 30, 61, 118, 125, 127, 136,
143, 150, 159, 198-199 y 202-203
Cortesía Tate, © Tate: pp. 95 y 110-111
Dominique Uldry, Berna: p. 134

Imágenes pp. III y 275, Luis Camnitzer,
The Book of Holes [El libro de los huecos], 1977,
Serie de láminas de fotografías, b/n,
28,1 x 35,9 cm aprox. c/u [each]
Daros Latinamerica Collection, Zúrich

AGRADECIMIENTOS

El Museo Nacional Centro de Arte Reina Sofía desea expresar su agradecimiento, en primer lugar y muy especialmente, a Luis Camnitzer cuyo apoyo y asesoramiento ha sido constante durante la preparación de este proyecto, así como a todas las personas e instituciones que han prestado generosamente sus obras para que esta exposición pudiese llevarse a cabo:

Estrellita B. Brodsky
Ella Fontanals-Cisneros
Amy Gold
Brett Gorvy
Selby Hickey
Alfredo Jaar
Lillian y Billy Mauer
Donna Perret Rosen
Mary E. Phelps
Benjamin M. Rosen
Sue y John Wieland
Blanton Museum of Art, The University of Texas at Austin
Alexander Gray Associates, Nueva York
Daros Latinamerica Collection, Zürich
Musac, León
The Museum of Fine Arts, Houston
The Museum of Modern Art, Nueva York
Parra & Romero, Madrid e Ibiza
Colección Solomon R. Guggenheim Museum, Nueva York
TATE

De la misma manera quiere agradecer por su colaboración al equipo de la galería Alexander Gray Associates de Nueva York: Alexander Gray y David Cabrera; a Gena Beam, Amy Lin, Carolina Maestre, Kristin Newman, Christopher Saunders y Chad Seelig por su participación en documentar, registrar y archivar la obra de Luis Camnitzer. Así como a Sean Delaney, Carly Fischer, Jay Jadick, Alejandro Jassan, Jenna Marvin, Diane Nelson, Peter Vargas y Rebecca Wolf, por su trabajo de catalogación. Y a Glorimar García, John Kunemund, Victoria Pratt, Hannah Cirone y Alex Santana, por el apoyo prestado.

Igualmente, al equipo de la galería Parra & Romero, Madrid e Ibiza: Guillermo Romero Parra, Pilar Parra, Francisco Romero Parra, Sofía Fernández, Eloy Molanes y Marta Navas.

Toda nuestra gratitud también a los autores de los ensayos por su inestimable contribución a este catálogo: Beverly Adams, Luis Camnitzer, Peter Osborne y Octavio Zaya. Así como a Felicitas Rausch por haber facilitado imágenes para su reproducción.

Y a todas aquellas personas colaboradoras que han preferido mantenerse en el anonimato.